D0197397

COLLECTION SÉRIE NOIRE
Créée par Marcel Duhamel

Parutions du mois

2577. LA COMMUNE DES MINOTS
(CÉDRIC FABRE)

2578. LE CHANT DU BOUC
(CHANTAL PELLETIER)

2579. LA VANITÉ DES PIONS
(PASCALE FONTENEAU)

2580. GANGSTA RAP
(MARC VILLARD)

JEAN-CLAUDE IZZO

Total Khéops

GALLIMARD

NOTE DE L'AUTEUR

L'histoire que l'on va lire est totalement imaginaire. La formule est connue. Mais il n'est jamais inutile de la rappeler. À l'exception des événements publics, rapportés par la presse, ni les faits racontés, ni les personnages n'ont existé. Pas même le narrateur, c'est dire. Seule la ville est bien réelle. Marseille. Et tous ceux qui y vivent. Avec cette passion qui n'est qu'à eux. Cette histoire est la leur. Échos et réminiscences.

Pour Sébastien

« Il n'y a pas de vérité,
il n'y a que des histoires. »

JIM HARRISON

PROLOGUE

Rue des Pistoles, vingt ans après.

Il n'avait que son adresse. Rue des Pistoles, dans le Vieux Quartier. Cela faisait des années qu'il n'était pas venu à Marseille. Maintenant il n'avait plus le choix.

On était le 2 juin, il pleuvait. Malgré la pluie, le taxi refusa de s'engager dans les ruelles. Il le déposa devant la Montée-des-Accoules. Plus d'une centaine de marches à gravir et un dédale de rues jusqu'à la rue des Pistoles. Le sol était jonché de sacs d'ordures éventrés et il s'élevait des rues une odeur âcre, mélange de pisse, d'humidité et de moisi. Seul grand changement, la rénovation avait gagné le quartier. Des maisons avaient été démolies. Les façades des autres étaient repeintes, en ocre et rose, avec des persiennes vertes ou bleues, *à l'italienne*.

De la rue des Pistoles, peut-être l'une des plus étroites, il n'en restait plus que la moitié, le côté pair. L'autre avait été rasée, ainsi que les maisons de la rue Rodillat. À leur place, un parking. C'est ce qu'il vit en premier, en débouchant à l'angle de la rue du Refuge. Ici, les promoteurs semblaient avoir fait une pause. Les maisons étaient noirâtres, lépreuses, rongées par une végétation d'égout.

Il était trop tôt, il le savait. Mais il n'avait pas envie de boire des cafés dans un bistrot, en regardant sa montre, à attendre une heure décente pour réveiller Lole. Il rêvait d'un café dans un vrai appartement, confortablement assis. Cela ne lui était plus arrivé depuis plusieurs mois. Dès qu'elle ouvrit la porte, il se dirigea vers l'unique fauteuil de la pièce, comme si c'était son habitude. Il caressa l'accoudoir de la main et il s'assit, lentement, en fermant les yeux. C'est seulement après qu'il la regarda enfin. Vingt ans après.

Elle se tenait debout. Droite, comme toujours. Les mains enfoncées dans les poches d'un peignoir de bain jaune paille. La couleur donnait à sa peau un éclat plus brun qu'à l'accoutumée et mettait en valeur ses cheveux noirs, qu'elle portait maintenant courts. Ses hanches s'étaient peut-être épaissies, il n'en était pas sûr. Elle était devenue femme, mais elle n'avait pas changé. Lole, la Gitane. Belle, depuis toujours.

— Je prendrais bien un café.

Elle fit signe de la tête. Sans un mot. Sans un sourire. Il l'avait tirée du sommeil. D'un rêve où Manu et elle rouleraient à fond la caisse vers Séville, insouciants, les poches bourrées de fric. Un rêve qu'elle devait faire toutes les nuits. Mais Manu était mort. Depuis trois mois.

Il se laissa aller dans le fauteuil, en allongeant les jambes. Puis il alluma une cigarette. Incontestablement la meilleure depuis longtemps.

— Je t'attendais. Lole lui tendit une tasse. Mais plus tard.

— J'ai pris un train de nuit. Un train de légionnaires. Moins de contrôle. Plus de sécurité.

Son regard était ailleurs. Là où était Manu.

— Tu ne t'assois pas ?

— Mon café, je le prends debout.

— Tu n'as toujours pas le téléphone.

— Non.

Elle sourit. Le sommeil, un instant, sembla disparaître de son visage. Elle avait chassé le rêve. Elle le regarda avec des yeux mélancoliques. Il était fatigué, et inquiet. Ses vieilles peurs. Il aimait que Lole soit avare de mots, d'explications. Le silence remettait leur vie en ordre. Une fois pour toutes.

Il flottait un parfum de menthe. Il détailla la pièce. Assez vaste, murs blancs, nus. Pas d'étagères, ni bibelots ni livres. Un mobilier réduit à l'essentiel, table, chaises, buffet, mal assortis, et un lit à une place près de la fenêtre. Une porte ouvrait sur une autre pièce, la chambre. D'où il était, il apercevait une partie du lit. Draps bleus, défaits. Il ne savait plus rien des odeurs de la nuit. Des corps. L'odeur de Lole. Ses aisselles, pendant l'amour, sentaient le basilic. Ses yeux se fermaient. Son regard revint au lit près de la fenêtre.

— Tu pourras dormir là.

— Je voudrais dormir maintenant.

Plus tard, il la vit traverser la pièce. Il ne savait pas combien de temps il avait dormi. Pour lire l'heure à sa montre, il lui aurait fallu bouger. Et il n'avait pas envie de bouger. Il préférait regarder Lole aller et venir. Les yeux mi-clos. Elle était sortie de la salle de bains enroulée dans une serviette éponge. Elle n'était pas très grande. Mais elle avait ce qu'il fallait là où il fallait. Et elle avait de très belles jambes. Puis il s'était rendormi. Sans aucune peur.

Le jour était tombé. Lole portait une robe de toile noire, sans manches. Sobre, mais très seyante. Elle moulait délicatement son corps. Il regardait encore ses jambes. Cette fois, elle sentit son regard.

— Je te laisse les clefs. Il y a du café au chaud. J'en ai refait.

Elle disait les choses les plus évidentes. Le reste ne trouvait pas place dans sa bouche. Il se redressa, attrapa une cigarette sans la quitter des yeux.

— Je rentre tard. Ne m'attends pas.

— Tu es toujours entraîneuse ?

— Hôtesse. Au Vamping. Je ne veux pas t'y voir traîner.

Il se rappela le Vamping, au-dessus de la plage des Catalans. Un incroyable décor à la Scorcese. La chanteuse et l'orchestre derrière des pupitres pailletés. Tango, boléro, cha-cha, mambo, ...

— Ce n'était pas mon intention.

Elle haussa les épaules.

— Je n'ai jamais su tes intentions. Son sourire interdisait tout commentaire. Tu penses voir Fabio ?

Il pensait qu'elle poserait la question. Il se l'était posée aussi. Mais il en avait écarté l'idée. Fabio était flic. C'était comme un trait tiré sur leur jeunesse, sur leur amitié. Fabio, pourtant, il aimerait le revoir.

— Plus tard. Peut-être. Comment il est ?

— Le même. Comme nous. Comme toi, comme Manu. Paumé. On n'a rien su faire de nos vies. Alors, gendarme ou voleur...

— Tu l'aimais bien, c'est vrai.

— Je l'aime bien, oui.

Il se sentit piqué au cœur.

— Tu l'as revu ?

— Pas depuis trois mois.

Elle attrapa son sac et une veste en lin blanc. Il ne la quittait toujours pas des yeux.

— Sous ton oreiller, lâcha-t-elle enfin. Il vit à son visage qu'elle s'amusait de sa surprise. Le reste est dans le tiroir du buffet.

Et sans un mot de plus elle partit. Il souleva l'oreiller. Le 9mm était là. Il l'avait expédié à Lole, en colissimo, avant de quitter Paris. Les métros, les gares grouillaient de flics. La France républicaine avait décidé de laver plus blanc. Immigration zéro. Le nouveau rêve français. En cas de contrôle, il ne voulait pas de problème. Pas celui-là. Vu que déjà il avait de faux papiers.

Le pistolet. Un cadeau de Manu, pour ses vingt ans. À cette époque-là, Manu, il déconnait déjà. Il ne s'en était jamais séparé, mais il n'en avait jamais fait usage non plus. On ne tue pas quelqu'un comme ça. Même menacé. Ce qui avait été quelques fois le cas, ici ou là. Il y avait toujours une autre solution. C'est ce qu'il pensait. Et il était toujours en vie. Mais aujourd'hui, il en avait besoin. Pour tuer.

Il était un peu plus de huit heures. La pluie avait cessé et, en sortant de l'immeuble, il reçut l'air chaud en pleine gueule. Après une longue douche, il avait enfilé un pantalon noir, en toile, un polo noir, et un blouson en jean. Il avait remis ses mocassins, mais sans chaussettes. Il prit la rue du Panier.

C'était son quartier. Il y était né. Rue des Petits-Puits, à deux couloirs de là où était né Pierre Puget. Son père avait d'abord habité rue de la Charité, en arrivant en France. Ils fuyaient la misère et Mussolini. Il avait vingt ans, et traînait derrière lui deux frères. Des *nabos*, des Napolitains. Trois autres s'étaient embarqués pour l'Argentine. Ils firent les boulots dont les Français ne voulaient pas. Son père se fit embaucher comme docker, payé au centime. « Chien des quais », c'était l'insulte. Sa mère travaillait aux dattes, quatorze heures par jour. Le soir, *nabos* et *babis*, ceux du Nord, se retrouvaient dans la rue. On tirait la chaise devant la porte. On se parlait par la fenêtre. Comme en Italie. La belle vie, quoi.

Sa maison, il ne l'avait pas reconnue. Rénovée, elle aussi. Il avait continué. Manu était de la rue Baussenque. Un immeuble sombre et humide, où sa mère, enceinte de lui, s'installa avec deux de ses frères. José Manuel, son père, avait été fusillé par les franquistes. Immigrés, exilés, tous débarquaient un jour dans l'une de ces ruelles. Les poches vides et le cœur plein d'espoir. Quand Lole arriva, avec sa famille, Manu et lui étaient déjà des grands. Seize ans. Enfin, c'était ce qu'ils faisaient croire aux filles.

Vivre au Panier, c'était la honte. Depuis le siècle dernier. Le quartier des marins, des putes. Le chancre de la ville. Le grand lunapar. Et, pour les nazis, qui avaient rêvé de le détruire, *un foyer d'abâtardissement pour le monde occidental*. Son père et sa mère y avaient connu l'humiliation. L'ordre d'expulsion, en pleine nuit. Le 24 janvier 1943. Vingt mille personnes. Une charrette vite trouvée, pour entasser quelques affaires. Gendarmes français violents et soldats allemands goguenards. Pousser la charrette au petit jour sur la Canebière, sous le regard de ceux qui allaient au travail. Au lycée, on les montrait du doigts. Même les fils d'ouvriers, ceux de la Belle de Mai. Mais pas longtemps. Ils leur cassaient les doigts ! Ils le savaient, Manu et lui, leur corps, leurs fringues sentaient le moisi. L'odeur du quartier. La première fille qu'il avait embrassée, cette odeur, elle l'avait au fond de la gorge. Mais ils s'en foutaient. Ils aimaient la vie. Ils étaient beaux. Et ils savaient se battre.

Il prit la rue du Refuge, pour redescendre. Six beurs, quatorze-dix-sept ans, discutaient le coup, plus bas. À côté d'une mobylette. Rutilante. Neuve. Ils le regardèrent venir. Sur leur garde. Une tête nouvelle dans le quartier, c'est danger. Flic. Indic. Ou le nouveau propriétaire d'une rénovation, qui irait se plaindre de l'insécurité à la mairie. Des flics viendraient. Des contrôles, des séjours au poste. Des coups, peut-être. Des emmerdes. Arrivé à leur hauteur, il jeta un regard à celui qui lui sembla être le chef. Un regard droit, franc. Bref. Puis il continua. Personne ne bougea. Ils s'étaient compris.

Il traversa la place de Lenche, déserte, puis descendit vers le port. Il s'arrêta à la première cabine téléphonique. Batisti décrocha.

— Je suis l'ami de Manu.

— Salut, gari. Passe prendre l'apéro, demain au Péano. Vers une heure. Ça me fera plaisir de te rencontrer. Ciao, fiston.

Il raccrocha. Pas bavard Batisti. Pas le temps de lui dire qu'il aurait préféré n'importe où ailleurs. Mais pas là. Pas au Péano. Le bar des peintres. Ambrogiani y avait accroché ses premières toiles. D'autres après lui, dans sa mouvance. De pâles imitateurs aussi. C'était aussi le bar des journalistes. Toutes tendances confondues. *Le Provençal*, *La Marseillaise*, l'*A. F. P.*, *Libération*. Le pastis jetait des passerelles entre les hommes. La nuit, on y attendait la dernière heure des journaux avant d'aller écouter du jazz dans l'arrière-salle. Petrucciani père et fils y étaient venus. Avec Aldo Romano. Et des nuits, il y en avait eu. Il essayait de comprendre ce qu'était sa vie. Cette nuit-là, Harry était au piano.

— On comprend que ce qu'on veut, avait dit Lole.

— Ouais. Et moi, j'ai un besoin urgent d'aérer mon regard.

Manu était revenu avec la énième tournée. Passé minuit, on ne comptait plus. Trois scotchs, doubles doses. Il s'était assis et avait levé son verre en souriant sous sa moustache.

— Santé, les amoureux.

— Toi, tu la fermes, avait dit Lole.

Il vous avait dévisagés comme des animaux étranges, puis vous avait oubliés pour la musique. Lole te regardait. Tu avais vidé ton verre. Lentement. Avec application. Ta décision était prise. Tu allais partir. Tu t'étais levé et tu étais sorti en titubant. Tu partais. Tu partis. Sans un mot pour Manu, le seul ami qu'il te restait. Sans un mot pour Lole, qui venait d'avoir vingt ans. Que tu aimais. Que vous aimiez. Le Caire, Djibouti, Aden, le Harar. Itinéraire d'un adolescent attardé. Puis l'innocence perdue. De l'Argentine au Mexique. L'Asie, enfin, pour en finir avec les illusions. Et un mandat d'arrêt international au cul, pour trafic d'œuvres d'art.

Tu revenais à Marseille pour Manu. Pour régler son compte à l'enfant de salaud qui l'avait tué. Il sortait de Chez Félix, un bistrot rue Caisserie où il mangeait le midi. Lole l'attendait à Madrid, chez sa mère. Il allait palper un beau paquet de fric. Pour un casse sans bavure, chez un grand avocat marseillais, Éric Brunel, boulevard Longchamp. Ils avaient décidé d'aller à Séville. Et d'oublier Marseille, et les galères.

Tu n'en voulais pas à celui qui avait fait cette saloperie. Un tueur à gages, sans doute. Anonyme. Froid. Venu de Lyon, ou de Milan. Et que tu ne retrouverais pas. Tu en voulais à l'ordure qui avait commandité ça. Tuer Manu. Tu ne voulais pas savoir pourquoi. Tu n'avais pas besoin de raisons. Pas même une seule. Manu, c'est comme si c'était toi.

Le soleil le réveilla. Neuf heures. Il resta couché sur le dos, et fuma sa première cigarette. Il n'avait pas dormi aussi profondément depuis des mois. Il rêvait toujours qu'il dormait ailleurs que là où il était. Dans un bordel du Harar. Dans la prison de Tijuana. Dans l'express Rome-Paris. Partout. Mais toujours ailleurs. Cette nuit, il avait rêvé qu'il dormait chez Lole. Et il était chez elle. Comme chez lui. Il sourit. À peine s'il l'avait entendue rentrer, fermer la porte de sa chambre. Elle dormait dans ses draps bleus, à reconstituer son rêve cassé. Il en manquait toujours un morceau. Manu. À moins que ce ne fût lui. Mais il y avait longtemps qu'il avait repoussé cette idée. Et c'était s'accorder un beau rôle. Vingt ans, c'était plus qu'un deuil.

Il se leva, fit du café et passa sous la douche. Sous l'eau chaude. Il se sentait beaucoup mieux. Les yeux fermés sous le jet, il se mit à imaginer que Lole venait le rejoindre. Comme avant. Elle se serrait contre son corps. Son sexe contre le sien. Ses mains glissaient dans son dos, sur ses fesses. Il se mit à bander. Il ouvrit l'eau froide en hurlant.

Lole mit un des premiers disques d'Azuquita. *Pura salsa.* Ses goûts n'avaient pas changé. Il esquissa quelques pas de danse, ce qui la fit sourire. Elle s'avança pour l'embrasser. Dans le mouvement, il aperçut ses seins. Comme des poires, qui attendaient d'être cueillies. Il ne détourna pas son regard assez vite. Leurs yeux se rencontrèrent. Elle s'immobilisa, serra plus fort la ceinture de son peignoir de bain et partit vers la cuisine. Il se sentit minable. Une éternité passa. Elle revint avec deux tasses de café.

— Hier soir, un type m'a demandé de tes nouvelles. Savoir si tu étais par là. Un copain à toi. Malabe. Franckie Malabe.

Il ne connaissait pas de Malabe. Un flic ? Plus certainement un indic. Ça ne lui plaisait pas, qu'ils s'approchent de Lole. Mais, en même temps, cela le rassurait. Les flics des Douanes savaient qu'il était revenu en France, mais pas où il était. Pas encore. Ils essayaient les pistes. Il lui fallait encore un peu de temps. Deux jours, peut-être. Tout dépendait de ce que Batisti avait à vendre.

— Pourquoi es-tu là ?

Il prit le blouson. Surtout ne pas répondre. Ne pas s'engager dans les questions-réponses. Il serait incapable de lui mentir. Incapable d'expliquer pourquoi il allait faire cela. Pas maintenant. Il devait le faire. Comme un jour il avait dû partir. À ses questions, il n'avait jamais trouvé de réponses. Il n'y avait que des questions. Pas de réponses. Il avait compris ça, c'est tout. C'était peu de chose, mais c'était plus sûr que de croire en Dieu.

— Oublie la question.

Derrière lui, elle ouvrit la porte et cria :

— Ça m'a menée nulle part, de pas en poser, des questions.

Le parking à deux étages du cours d'Estienne d'Orves avait enfin été détruit. L'ancien canal des galères était devenu une belle place. Les maisons avaient été restaurées, les façades repeintes, le sol pavé. Une place à l'italienne. Les bars et les restaurants avaient tous des terrasses. Tables blanches et parasols. Comme en Italie, on se donnait à voir. L'élégance en moins. Le Péano avait aussi sa terrasse, déjà bien remplie. Des jeunes pour la plupart. Propres sur eux. L'intérieur avait été refait. Déco branchée. Froide. Des reproductions avaient remplacé les tableaux. À chier. C'était presque mieux ainsi. Il pouvait tenir les souvenirs à distance.

Il se mit au comptoir. Il commanda un pastis. Dans la salle un couple. Une prostituée et son mac. Mais on pouvait se tromper. Ils discutaient à voix basse. Leur discussion était plutôt animée. Il appuya un coude sur le zinc tout neuf et surveilla l'entrée.

Les minutes passaient. Personne n'entrait. Il commanda un autre pastis. On entendit : « Fils de pute ». Un bruit sec. Les regards se tournèrent vers le couple. Un silence. La femme partit en courant. L'homme se leva, laissa un billet de cinquante francs et sortit après elle.

Sur la terrasse, un homme plia le journal qu'il lisait. La soixantaine. Une casquette de marin sur la tête. Pantalon de toile bleue, chemise blanche à manches courtes, par-dessus le pantalon. Espadrilles bleues. Il se leva et vint vers lui. Batisti.

Il passa l'après-midi à repérer les lieux. Monsieur Charles, comme on l'appelait dans le Milieu, habitait une des villas cossues qui surplombent la Corniche. Des villas étonnantes, avec clochetons ou colonnes, et des jardins avec palmiers, lauriers roses et figuiers. Quitté le Roucas Blanc, la rue qui serpente à travers cette petite colline, c'est un entrelacs de chemins, parfois à peine goudronnés. Il avait pris le bus, le 55, jusqu'à la place des Pilotes, en haut de la dernière côte. Puis il avait continué à pied.

Il dominait la rade. De l'Estaque à la Pointe-Rouge. Les îles du Frioul, du Château d'If. Marseille cinémascope. Une beauté. Il aborda la descente, face à la mer. Il n'était plus qu'à deux villas de celle de Zucca. Il regarda l'heure. 16h58. Les grilles de la villa s'ouvrirent. Une Mercedes noire apparut, se gara. Il dépassa la villa, la Mercedes, et continua jusqu'à la rue des Espérettes, qui coupe le chemin du Roucas Blanc. Il traversa. Dix pas et il arriverait à l'arrêt de bus. Selon les horaires, le 55 passait à 17h05. Il regarda l'heure, puis, appuyé contre le poteau, attendit.

La Mercedes fit une marche arrière en longeant le trottoir, et s'arrêta. Deux hommes à bord, dont le chauffeur. Zucca apparut. Il devait avoir dans les soixante-dix ans. Élégamment vêtu, comme les vieux truands. Chapeau de paille compris. Il tenait en laisse un caniche blanc. Précédé par le chien, il descendit jusqu'au passage piéton de la rue des Espérettes. Il s'arrêta. Le bus arrivait. Zucca traversa. Côté ombre. Puis il descendit le chemin du Roucas Blanc, en passant devant l'arrêt de bus. La Mercedes démarra, en roulant au pas.

Les renseignements de Batisti valaient bien cinquante mille francs. Il avait tout consigné minutieusement. Pas un détail ne manquait. Zucca faisait cette promenade tous les jours, sauf le dimanche, il recevait sa famille. À dix-huit heures, la Mercedes le ramenait à la villa. Mais Batisti ignorait pourquoi Zucca s'en était pris à Manu. De ce côté-là, il n'avançait pas. Un lien avec le braquage de l'avocat devait bien exister. Il commençait à se dire ça. Mais à vrai dire, il n'en avait rien à foutre. Seul Zucca l'intéressait. Monsieur Charles.

Il avait horreur de ces vieux truands. Copains comme coquins avec les flics, les magistrats. Jamais punis. Fiers. Condescendants. Zucca avait la gueule de Brando dans *Le Parrain*. Ils avaient tous cette gueule-là. Ici, à Palerme, à Chicago. Et ailleurs, partout ailleurs. Et lui, il en avait maintenant un dans sa ligne de mire. Il allait en descendre un. Pour l'amitié. Et pour libérer sa haine.

Il fouillait dans les affaires de Lole. La commode, les placards. Il était rentré légèrement ivre. Il ne cherchait rien. Il fouillait comme s'il pouvait découvrir un secret. Sur Lole, sur Manu. Mais il n'y avait rien à découvrir. La vie avait filé entre leurs doigts, plus vite que le fric.

Dans un tiroir, il trouva plein de photos. Il ne leur

restait plus que ça. Ça l'écœura. Il faillit tout foutre à la poubelle. Mais il y avait ces trois photos. Trois fois la même. À la même heure, au même endroit. Manu et lui. Lole et Manu. Lole et lui. C'était au bout de la grande jetée, derrière le port de commerce. Pour y aller, il fallait tromper la vigilance des gardiens. Pour ça, nous étions bons, pensa-t-il. Derrière eux, la ville. En toile de fond, les îles. Vous sortiez de l'eau. Essoufflés. Heureux. Vous vous étiez rassasiés de bateaux en partance dans le coucher du soleil. Lole lisait *Exil*, de Saint-John Perse, à haute voix. *Les milices du vent dans les sables d'exil.* Au retour, tu avais pris la main de Lole. Tu avais osé. Avant Manu.

Ce soir-là, vous aviez laissé Manu au Bar de Lenche. Tout avait basculé. Plus de rires. Pas un mot. Les pastis bus dans un silence gêné. Le désir vous avait éloignés de Manu. Le lendemain, il fallut aller le chercher au poste de police. Il y avait passé la nuit. Pour avoir déclenché une bagarre avec deux légionnaires. Son œil droit ne s'ouvrait plus. Sa bouche était enflée. Il avait une lèvre fendue. Et des bleus partout.

— M'en suis fait deux ! Mais alors, bien !

Lole l'embrassa sur le front. Il se serra contre elle et se mit à chialer.

— Putain, que c'est dur, il avait dit.

Et il s'était endormi, comme ça, sur les genoux de Lole.

Lole le réveilla à dix heures. Il avait dormi profondément, mais il se sentait la bouche pâteuse. L'odeur du café envahissait la pièce. Lole s'était assise sur le bord du lit. Sa main avait effleuré son épaule.

Ses lèvres s'étaient posées sur son front, puis sur ses lèvres. Un baiser furtif et tendre. Si le bonheur existait, il venait de le frôler.

— J'avais oublié.

— Si c'est vrai, sors immédiatement d'ici !

Elle lui tendit une tasse de café, se leva pour aller chercher la sienne. Elle souriait. Heureuse. Comme si la tristesse ne s'était pas réveillée.

— Tu ne veux pas t'asseoir. Comme tout à l'heure.

— Mon café…

— Tu le prends debout, je sais.

Elle sourit encore. Il ne se lassait pas de ce sourire, de sa bouche. Il s'accrocha à ses yeux. Ils brillaient comme cette nuit-là. Tu avais soulevé son tee-shirt, puis ta chemise. Vos ventres s'étaient collés l'un à l'autre et vous étiez restés ainsi sans parler. Juste vos respirations. Et ses yeux qui ne te lâchaient pas.

— Tu ne me quitteras jamais.

Tu avais juré.

Mais tu étais parti. Manu était resté. Et Lole avait attendu. Mais Manu était peut-être resté parce qu'il fallait quelqu'un pour veiller sur Lole. Et Lole ne t'avait pas suivi parce que abandonner Manu lui semblait injuste. Il s'était mis à penser ces choses. Depuis la mort de Manu. Parce qu'il fallait qu'il revienne. Et il était là. Marseille lui remontait à la gorge. Avec Lole, en arrière-goût.

Les yeux de Lole brillèrent plus fort. D'une larme contenue. Elle devinait qu'il tramait quelque chose. Et que ce quelque chose allait changer sa vie. Elle en avait eu le pressentiment, après l'enterrement de Manu. Dans les heures passées avec Fabio. Elle sentait cela. Et elle savait aussi sentir les drames. Mais elle ne dirait rien. C'était à lui de parler.

Il attrapa l'enveloppe kraft posée à côté du lit.

— Ça, c'est un billet pour Paris. Aujourd'hui. Le T. G. V. de 13h54. Ça, un ticket de consigne manuelle. Gare de Lyon. Ça, la même chose mais gare Montparnasse. Deux valises à récupérer. Dans chacune, sous de vieilles fringues, cent mille balles. Ça, la carte postale d'un très bon restaurant à Port-Mer, près de Cancale, Bretagne. Au dos, le téléphone de Marine. Un contact. Tu peux tout lui demander. Mais ne marchande aucun prix de ses services. Je t'ai réservé une chambre, hôtel des Marronniers, rue Jacob. À ton nom, pour cinq nuits. Il y aura une lettre pour toi à la réception.

Elle n'avait pas bougé. Figée. Ses yeux s'étaient lentement vidés de toute expression. Son regard n'exprimait plus rien.

— Est-ce que je peux placer un mot, dans tout ça ?

— Non.

— C'est tout ce que tu as à me dire ?

Ce qu'il avait à dire, il aurait fallu des siècles. Il pouvait le résumer en un mot et une phrase. Je regrette. Je t'aime. Mais ils n'avaient plus le temps. Ou plutôt, le temps les avait dépassés. L'avenir était derrière eux. Devant, il n'y avait plus que les souvenirs. Les regrets. Il leva les yeux vers elle. Avec le plus de détachement possible.

— Vide ton compte bancaire. Détruis ta carte bleue. Et ton carnet de chèques. Change d'identité, le plus vite possible. Marine te réglera ça.

— Et toi ? articula-t-elle avec peine.

— Je t'appelle demain matin.

Il regarda l'heure, se leva. Il passa près d'elle en évitant de la dévisager et alla dans la salle de bains. Derrière lui, il tira le loquet. Il n'avait pas envie que Lole vienne le rejoindre sous la douche. Dans la glace, il vit sa tête. Il ne l'aimait pas. Il se sentait vieux. Il ne savait plus sourire. Un pli d'amertume était apparu aux commissures des lèvres, qui ne se dissiperait plus. Il allait avoir quarante-cinq ans et cette journée serait la plus moche de sa vie.

Il entendit le premier accord de guitare de *Entre dos aguas*. Paco de Lucia. Lole avait monté le son. Devant la chaîne, elle fumait, les bras croisés.

— Tu fais dans la nostalgie.

— Je t'emmerde.

Il prit le pistolet, le chargea, mit la sécurité et le cala dans son dos entre la chemise et le pantalon. Elle s'était retournée et avait suivi chacun de ses gestes.

— Dépêche-toi. Je voudrais pas que tu rates ce train.

— Qu'est-ce que tu vas faire?

— Foutre le bordel. Je crois.

Le moteur de la mobylette tournait au ralenti. Pas un raté. 16h51. Rue des Espérettes, sous la villa de Charles Zucca. Il faisait chaud. La sueur coulait dans son dos. Il avait hâte d'en finir.

Il avait cherché les beurs toute la matinée. Ils changeaient sans cesse de rues. C'était leur règle. Ça ne devait servir à rien, mais ils avaient sans doute leurs raisons. Il les avait trouvés rue Fontaine-de-Caylus, qui était devenue une place, avec des arbres, des bancs. Il n'y avait qu'eux. Personne du quartier ne venait s'asseoir ici. On préférait rester devant sa porte. Les grands étaient assis sur les marches d'une maison, les plus jeunes debout. La mobylette à côté d'eux. En le voyant arriver, le chef s'était levé, les autres s'étaient écartés.

— J'ai besoin de ta meule. Pour l'après-midi. Jusqu'à six heures. Deux mille, cash.

Il surveilla les alentours. Anxieux. Il avait misé que personne ne viendrait prendre le bus. Si quelqu'un se pointait, il renoncerait. Si, dans le bus, un passager voulait descendre, ça, il ne le saurait que trop tard. C'était un risque. Il avait décidé de le prendre. Puis il se dit qu'à prendre ce risque, il pouvait tout aussi bien prendre l'autre. Il se mit à calculer. Le bus qui s'arrête. La porte qui s'ouvre. La personne qui monte. Le bus qui redémarre. Quatre minutes. Non, hier, cela avait pris trois minutes seulement. Disons quatre, quand même. Zucca aurait déjà traversé. Non, il aurait vu la mobylette et la laisserait passer. Il vida sa tête de toutes pensées en comptant et recomptant les minutes. Oui, c'était possible. Mais après ce serait le western. 16H59.

Il baissa la visière du casque. Il avait le pistolet bien en main. Et ses mains étaient sèches. Il accéléra, mais à peine, pour longer le trottoir. La main gauche crispée sur le guidon. Le caniche apparut, suivi de Zucca. Un froid intérieur l'envahit. Zucca le vit arriver. Il s'arrêta au bord du trottoir, retenant le chien. Il comprit, mais trop tard. Sa bouche s'arrondit, sans qu'il en sorte un son. Ses yeux s'agrandirent. La peur. Rien que cela aurait suffi. Qu'il ait chié dans son froc. Il appuya sur la détente. Avec dégoût. De soi. De lui. Des hommes. Et de l'humanité. Il vida le chargeur dans sa poitrine.

Devant la villa, la Mercedes bondit. À droite, le bus arrivait. Il dépassa l'arrêt. Sans ralentir. Il emballa la mobylette et lui coupa la route, en le contournant. Il faillit se prendre le trottoir, mais il passa. Le bus pila net, bloquant l'accès de la rue à la Mercedes. Il fila pleins gaz, prit à gauche, à gauche encore, le Chemin du Souvenir, puis la rue des Roses. Rue des Bois-Sacrés, il jeta le pistolet dans une bouche d'égout. Quelques minutes après il roulait tranquille rue d'Endoume.

Alors seulement il se mit à penser à Lole. L'un devant l'autre. Plus rien ne pouvait être dit. Tu avais eu envie de son ventre contre le tien. Du goût de son corps. De son odeur. Menthe et basilic. Mais il y avait trop d'années entre vous, et trop de silence. Et Manu. Mort, et encore si vivant. Cinquante centimètres vous séparaient. De ta main, si tu l'avais avancée, tu aurais pu saisir sa taille et l'attirer vers toi. Elle aurait pu dénouer la ceinture de son peignoir. T'éblouir de la beauté de son corps. Vous vous seriez pris avec violence. D'un désir inassouvi. Après, il y aurait eu après. Trouver les mots. Des mots qui n'existaient pas. Après, tu l'aurais perdue. Pour toujours. Tu étais parti. Sans au revoir. Sans un baiser. Une nouvelle fois.

Il tremblait. Il freina devant le premier bistrot, boulevard de la Corderie. Comme un automate, il mit la chaîne de sécurité, enleva le casque. Il avala un cognac. Il sentit la brûlure descendre au fond de lui. Le froid reflua de son corps. Il se mit à transpirer. Il fila aux toilettes pour enfin vomir. Vomir ses actes et ses pensées. Vomir celui qu'il était. Qui avait abandonné Manu. Qui n'avait pas eu le courage d'aimer Lole. Un être en dérive. Depuis si longtemps. Trop longtemps.

Le pire, c'est sûr, était devant lui. Au deuxième cognac, il ne tremblait plus. Il était revenu de lui-même.

Il se gara Fontaine-de-Caylus. Les beurs n'étaient pas là. Il était 18h20. Étonnant. Il enleva le casque, l'accrocha au guidon, mais sans arrêter le moteur. Le plus jeune arriva, poussant un ballon devant lui. Il shoota dans sa direction.

— Tire-toi, y a des keufs qui arrivent. Y en a qui matent devant chez ta meuf.

Il démarra et remonta la ruelle. Ils devaient surveiller les passages. Montée-des-Accoules, Montée-Saint-Esprit, traverse des Repenties. Place de Lenche, bien sûr. Il avait oublié de demander à Lole si Franckie Malabe était revenu. Il avait peut-être une chance en prenant la rue des Cartiers, tout en haut. Il quitta la mobylette et descendit les marches en courant. Ils étaient deux. Deux jeunes flics en civil. En bas des escaliers.

— Police.

Il entendit la sirène, plus haut dans la rue. Coincé. Des portières claquaient. Ils arrivaient. Dans son dos.

— On ne bouge plus !

Il fit ce qu'il avait à faire. Il plongea la main sous son blouson. Il fallait en finir. Ne plus être en fuite. Il était là. Chez lui. Dans son quartier. Autant que cela soit ici. Marseille, pour finir. Il braqua les deux jeunes flics. Derrière lui, ils ne pouvaient pas voir qu'il était sans arme. La première balle lui déchira le dos. Son poumon explosa. Il ne sentit pas les deux autres balles.

1

Où même pour perdre il faut savoir se battre.

Je m'accroupis devant le cadavre de Pierre Ugolini. Ugo. Je venais d'arriver sur les lieux. Trop tard. Mes collègues avaient joué les cow-boys. Quand ils tiraient, ils tuaient. C'était aussi simple. Des adeptes du général Custer. Un bon Indien, c'est un Indien mort. Et à Marseille, des Indiens, il n'y avait que ça, ou presque.

Le dossier Ugolini avait atterri sur le mauvais bureau. Celui du commissaire Auch. En quelques années, son équipe s'était taillé une sale réputation, mais elle avait fait ses preuves. On savait fermer les yeux sur ses dérapages, à l'occasion. La répression du grand banditisme est à Marseille une priorité. La seconde, c'est le maintien de l'ordre dans les quartiers nord. Les banlieues de l'immigration. Les cités interdites. Ça, c'était mon job. Mais, moi, je n'avais pas droit aux bavures.

Ugo, c'était un vieux copain d'enfance. Comme Manu. Un ami. Même si Ugo et moi on ne s'était plus parlé depuis vingt ans. Manu, Ugo, je trouvais que ça cartonnait dur sur mon passé. J'avais voulu éviter ça. Mais je m'y étais mal pris.

Quand j'appris qu'Auch était chargé d'enquêter sur la présence d'Ugo à Marseille, je mis un de mes indics sur le coup. Franckie Malabe. Je lui faisais confiance. Si Ugo venait à Marseille, il irait chez Lole. C'était évident. Malgré le temps. Et Ugo, j'étais sûr qu'il viendrait. Pour Manu. Pour Lole. L'amitié a ses règles, on n'y déroge pas. Ugo, je l'attendais. Depuis trois mois. Parce que pour moi aussi, la mort de Manu, on ne pouvait pas en rester là. Il fallait une explication. Il fallait un coupable. Et une justice. Je voulais rencontrer Ugo pour parler de ça. De la justice. Moi le flic et lui le hors-la-loi. Pour éviter les conneries. Pour le protéger d'Auch. Mais pour trouver Ugo, je devais retrouver Lole. Depuis la mort de Manu, j'avais perdu sa trace.

Franckie Malabe fut efficace. Mais ses informations, c'est à Auch qu'il en offrit la primeur. Je ne les eus qu'en sous-main, et le lendemain. Après qu'il eut tourné autour de Lole au Vamping. Auch était puissant. Dur. Les indics le craignaient. Et les indics, en vraies foutues salopes, naviguaient à vue sur leurs petits intérêts. J'aurais dû le savoir.

L'autre erreur fut de ne pas être allé voir Lole moi-même, l'autre soir. Je manque parfois de courage. Je n'avais pu m'y résoudre, à me pointer comme ça au Vamping, trois mois après. Trois mois après cette nuit qui suivit la mort de Manu. Lole ne m'aurait même pas adressé la parole. Peut-être. Peut-être que, en me voyant, elle aurait compris le message. Qu'Ugo, lui, aurait compris.

Ugo. Il me fixait de ses yeux morts, un sourire sur les lèvres. Je fermai ses paupières. Le sourire survécut. Survivrait.

Je me redressai. Ça s'activait autour de moi. Orlandi

s'avança, pour les photos. Je regardai le corps d'Ugo. Sa main ouverte et, dans le prolongement, le Smith et Wesson qui avait glissé sur la marche. Photo. Que s'était-il vraiment passé ? S'apprêtait-il à faire feu ? Y avait-il eu les sommations d'usage ? Je ne le saurai jamais. Ou en enfer, un jour, quand je rencontrerai Ugo. Car des témoins, il n'y aura que ceux choisis par Auch. Ceux du quartier, ils s'écraseront. Leur parole ne valait rien. Je tournai les yeux. Auch venait de faire son apparition. Il s'approcha de moi.

— Désolé, Fabio. Pour ton copain.

— Va te faire foutre.

Je remontai la rue des Cartiers. Je croisai Morvan, le tireur d'élite de l'équipe. Une gueule à la Lee Marvin. Une gueule de tueur, pas de flic. Je mis dans mon regard tout ce que j'avais de haine. Il ne baissa pas les yeux. Pour lui, je n'existais pas. Je n'étais rien. Rien qu'un flic de banlieue.

En haut de la rue, des beurs suivaient la scène.

— Cassez-vous les mômes.

Ils se regardèrent. Regardèrent le plus vieux de la bande. Regardèrent la mobylette par terre, derrière eux. La mobylette abandonnée par Ugo. Quand il fut pris en chasse, j'étais à la terrasse du Bar du Refuge. À surveiller la maison de Lole. Je m'étais enfin décidé à bouger. Trop de temps passait. Cela devenait dangereux. Personne n'était à l'appartement. Mais j'étais prêt à attendre Lole ou Ugo le temps qu'il fallait. Ugo passa à deux mètres de moi.

— Tu t'appelles comment ?

— Djamel.

— C'est ta mob ? Il ne répondit pas. Tu la ramasses, et tu te tires. Pendant qu'ils sont encore occupés.

Personne ne bougea. Djamel me regardait, perplexe.

— Tu la nettoies, et tout. Et tu la mets à l'abri, quelques jours. T'as compris ?

Je leur tournai le dos et partis vers ma voiture. Sans me retourner. J'allumai une cigarette, une Winston, puis la jetai. Un goût dégueulasse. Depuis un mois, j'essayais de passer des Gauloises aux blondes, pour moins tousser. Dans le rétroviseur je m'assurai qu'il n'y avait plus de mobylette, et plus de beurs. Je fermai les yeux. J'avais envie de chialer.

De retour au bureau, on m'informa pour Zucca. Et du tueur en mobylette. Zucca n'était pas un « patron » du Milieu, mais un pilier, essentiel, depuis que les chefs étaient morts, en prison, ou en cavale. Zucca mort, c'était tout bénef, pour nous les flics. Enfin, pour Auch. Je fis le lien avec Ugo, immédiatement. Mais je n'en dis rien à personne. Qu'est-ce que ça changeait ? Manu était mort. Ugo était mort. Et Zucca ne valait pas une larme.

Le ferry pour Ajaccio quitta la darse 2. Le *Monte-d'Oro*. Le seul avantage de mon bureau miteux de l'Hôtel de Police est d'avoir une fenêtre ouvrant sur le port de la Joliette. Les ferries, c'est presque tout ce qu'il reste de l'activité du port. Ferries pour Ajaccio, Bastia, Alger. Quelques paquebots aussi. Pour des croisières du troisième âge. Et du fret, encore pas mal. Marseille demeurait le troisième port d'Europe. Loin devant Gênes, sa rivale. Au bout du môle Léon Gousset, les palettes de bananes et d'ananas de Côte-d'Ivoire me semblaient être des gages d'espoir pour Marseille. Les derniers.

Le port intéressait sérieusement les promoteurs immobiliers. Deux cents hectares à construire, un sacré pactole. Ils se voyaient bien transférer le port à Fos et construire un nouveau Marseille en bord de mer. Ils avaient déjà les architectes et les projets allaient bon train. Moi, je n'imaginais pas Marseille sans ses darses, ses hangars vieillots, sans bateaux. J'aimais les bateaux. Les vrais, les gros. J'aimais les voir évoluer. Chaque fois, j'avais un pincement au cœur. Le *Ville de Naples* sortait du port. Tout en lumière. J'étais sur le quai. En larmes. À bord, Sandra, ma cousine. Avec ses parents, ses frères, ils avaient fait escale deux jours à Marseille. Ils repartaient pour Buenos Aires. Sandra, je l'aimais. J'avais neuf ans. Je ne l'avais plus revue. Elle ne m'avait jamais écrit. Heureusement, ce n'était pas ma seule cousine.

Le ferry s'était engagé dans le bassin de la grande Joliette. Il glissa derrière la cathédrale de La Major. Le soleil couchant donnait enfin un peu de chaleur à la pierre grise, lourde de crasse. C'est à ces heures-là du jour que La Major, aux rondeurs byzantines, trouvait sa beauté. Après, elle redevenait ce qu'elle a toujours été : une chierie vaniteuse du Second Empire. Je suivis le ferry des yeux. Il évolua avec lenteur. Il se mit parallèle à la digue Sainte-Marie. Face au large. Pour les touristes, qui avaient transité une journée à Marseille, peut-être une nuit, la traversée commençait. Demain matin, ils seraient sur l'île de Beauté. De Marseille, ils garderont le souvenir du Vieux-Port. De Notre-Dame de la Garde, qu'elle domine. De la Corniche, peut-être. Et du palais du Pharo, qu'ils découvraient maintenant sur leur gauche.

Marseille n'est pas une ville pour touristes. Il n'y a rien à voir. Sa beauté ne se photographie pas. Elle se partage. Ici, il faut prendre partie. Se passionner. Être pour, être contre. Être, violemment. Alors seulement ce qui est à voir se donne à voir. Et là, trop tard, on est en plein drame. Un drame antique où le héros c'est la mort. À Marseille, même pour perdre il faut savoir se battre.

Le ferry n'était plus qu'une tache sombre dans le soleil couchant. J'étais trop flic pour prendre la réalité au pied de la lettre. Des choses m'échappaient. Par qui Ugo avait-il su aussi vite pour Zucca ? Zucca avait-il vraiment commandité l'assassinat de Manu ? Pourquoi ? Et pourquoi Auch n'avait-il pas alpagué Ugo hier soir ? Ou ce matin ? Et où était Lole à cette heure ?

Lole. Comme Manu et Ugo, je ne l'avais pas vue grandir. Devenir femme. Puis, comme eux, je l'avais aimée. Mais sans pouvoir prétendre à elle. Je n'étais pas du Panier. J'y étais né, mais dès que j'eus deux ans, mes parents s'installèrent à la Capelette, un quartier de Ritals. Avec Lole, on pouvait être copain-copain, et c'était déjà avoir beaucoup de chance. Ma chance, ce fut Manu et Ugo. D'être ami avec eux.

J'avais encore de la famille au quartier, rue des Cordelles. Deux cousins, et une cousine. Angèle. Gélou, c'était une grande. Presque dix-sept ans. Elle venait souvent chez nous. Elle aidait ma mère, qui ne se levait déjà presque plus. Après il fallait que je la raccompagne. Ça ne craignait pas vraiment à cette époque, mais Gélou, elle n'aimait pas rentrer seule.

Moi, ça me plaisait bien de me promener avec elle. Elle était belle et j'étais plutôt fier quand elle me donnait le bras. Le problème, c'est quand on arrivait aux Accoules. Je n'aimais pas aller dans le quartier. C'était sale, ça puait. J'avais honte. Et surtout j'avais la trouille. Pas avec elle. Quand je revenais, seul. Gélou, elle savait ça et elle s'en amusait. Je n'osais pas demander à ses frères de me raccompagner. Je repartais presque en courant. Les yeux baissés. Il y avait souvent des gosses de mon âge au coin de la rue du Panier et de la rue des Muettes. Je les entendais rire à mon passage. Parfois ils me sifflaient, comme une fille.

Un soir, c'était à la fin de l'été, Gélou et moi, on remontait la rue des Petits-Moulins. Bras-dessus bras-dessous. Comme des amoureux. Son sein frôlait le dos de ma main. Ça me grisait. J'étais heureux. Puis je les avais aperçus, tous les deux. Je les avais déjà croisés plusieurs fois. On devait être du même âge. Quatorze ans. Ils venaient vers nous, un mauvais sourire aux lèvres. Gélou me serra le bras plus fort et je sentis la chaleur de son sein sur ma main.

À notre passage ils s'écartèrent. Le plus grand du côté de Gélou. Le plus petit de mon côté. De son épaule, il me bouscula en riant très fort. Je lâchai le bras de Gélou :

— Hé ! L'Espingoin !

Il se retourna, surpris. Je lui donnai un coup de poing dans l'estomac qui le plia en deux. Puis je le relevai d'un gauche en pleine figure. Un de mes oncles m'avait un peu appris la boxe, mais je me battais pour la première fois. Il était allongé par terre, reprenant son souffle. L'autre n'avait pas bougé. Gélou non plus.

Elle regardait. Apeurée. Et subjuguée, je crois. Je m'approchai, menaçant :

— Alors, l'Espingoin, t'en as assez ?

— T'as pas à l'appeler comme ça, dit l'autre dans mon dos.

— T'es quoi, toi ? Rital ?

— Qu'est-ce que ça change ?

Je sentis le sol disparaître sous mes pieds. Sans se relever, il m'avait crocheté la jambe. Je me retrouvai sur le cul. Il se jeta sur moi. Je vis que sa lèvre était fendue. Qu'il saignait. On roula l'un sur l'autre. Les odeurs de pisse et de merde m'envahissaient les narines. J'eus envie de pleurer. D'arrêter. De poser ma tête contre les seins de Gélou. Puis je sentis qu'on me tirait violemment par le dos, à coups de taloches sur la tête. Un homme nous séparait en nous traitant de voyous, et que même on finirait « aux galères ». Je ne les revis plus. Jusqu'en septembre. On se retrouva dans la même école, rue des Remparts. En classe de CAP. Ugo vint me serrer la main, puis Manu. On parla de Gélou. Pour eux, c'était la plus belle de tout le quartier.

Il était plus de minuit quand j'arrivai chez moi. J'habitais en dehors de Marseille. Les Goudes. L'avant-dernier petit port avant les calanques. On longe la Corniche, jusqu'à la plage du Roucas Blanc, puis on continue en suivant la mer. La Vieille-Chapelle. La Pointe-Rouge. La Campagne Pastrée. La Grotte-Roland. Autant de quartiers comme des villages encore. Puis la Madrague de Montredon. Marseille s'arrête là. Apparemment. Une petite route sinueuse, taillée dans la roche blanche, surplombe la mer. Au bout, abrité par des collines arides, le port des Goudes. La route se termine un kilomètre plus loin. À Callelongue, impasse des Muets. Derrière, les calanques de Sormiou, Morgiou, Sugitton, En-Vau. De vraies merveilles. Comme on n'en trouve pas sur toute la côte. On ne peut y aller qu'à pied. Ou en bateau. C'est ça la chance. Après, bien après, il y a le port de Cassis. Et les touristes.

Ma maison, c'est un cabanon. Comme presque toutes les maisons ici. Des briques, des planches et quelques tuiles. Le mien était construit sur les rochers, au-dessus de la mer. Deux pièces. Une petite chambre et une grande salle à manger-cuisine, meublées simplement, de bric et de broc. Une succursale d'Emmaüs. Mon bateau était amarré huit marches plus bas. Un bateau de pêcheur, un pointu, que j'avais acheté à Honorine, ma voisine. Ce cabanon, je l'avais hérité de mes parents. C'était leur seul bien. Et j'étais leur fils unique.

Nous y venions les samedis, en famille. Il y avait de grands plats de pâtes, en sauce, avec des alouettes sans tête et des boulettes de viandes cuites dans cette sauce. Les odeurs de tomates, de basilic, de thym, de laurier emplissaient les pièces. Les bouteilles de vin rosé circulaient entre les rires. Les repas se terminaient toujours par des chansons, d'abord celles de Marino Marini, de Renato Carressone, puis les chansons du pays. Et en dernier, toujours, *Santa Lucia*, que chantait mon père.

Après, les hommes se mettaient à la belote. Toute la nuit. Jusqu'à ce que l'un d'eux se fâche, jette les cartes. « Fan ! Y va falloir lui mettre les sangsues ! », criait quelqu'un. Et la rigolade repartait. Les matelas étaient par terre. On se partageait les lits. Nous, les enfants, on dormait dans le même lit, en travers. J'appuyais ma tête contre les seins naissants de Gélou et m'endormais heureux. Comme un enfant. Avec des rêves de grand.

Les fêtes se terminèrent à la mort de ma mère. Mon père ne mit plus les pieds aux Goudes. Venir aux Goudes, il y a encore trente ans, c'était tout une expédition. Il fallait prendre le 19, place de la Préfecture, au coin de la rue Armeny, jusqu'à la Madrague de Montredon. Là, on continuait la route dans un vieil autocar, dont le chauffeur avait largement dépassé l'âge de la retraite. Avec Manu et Ugo, on commença à y aller vers seize ans. Nous n'y emmenions jamais les filles. C'était à nous. Notre repaire. Nous ramenions au cabanon tous nos trésors. Des livres, des disques. Nous inventions le monde. À notre mesure, et à notre image. Nous avons passé des journées entières à nous lire les aventures d'Ulysse. Puis, la nuit tombée, assis sur les rochers, silencieux, nous rêvions aux sirènes aux belles chevelures qui chantaient « parmi les rochers noirs tout ruisselants d'écume blanche ». Et nous maudissions ceux qui avaient tué les sirènes.

Les livres, c'est Antonin, un vieux bouquiniste anar du Cours Julien, qui nous en donna le goût. On taillait la classe pour aller le voir. Il nous racontait des histoires d'aventuriers, de pirates. La mer des Caraïbes. La mer Rouge. Les mers du Sud... Parfois, il s'arrêtait, se saisissait d'un livre et nous en lisait un passage. Pour preuve de ce qu'il avançait. Puis il nous en faisait cadeau. Le premier, c'était *Lord Jim*, de Conrad.

C'est là aussi qu'on écouta Ray Charles pour la première fois. Sur le vieux Teppaz de Gélou. C'était le 45 tours du concert de Newport. *What'Id' Say* et *I Got a woman*. Dément. Nous n'arrêtions pas de tourner et de retourner le disque. Plein volume. Honorine craqua.

— Bonne mère ! Mais vous allez nous rendre gagas ! cria-t-elle de sa terrasse. Et, les poings sur ses grosses hanches, elle me menaça de se plaindre à mon père. Je savais bien qu'elle ne l'avait plus revu depuis la mort de ma mère, mais elle était si furieuse que nous l'en avions crue capable. Ça nous calma. Et puis Honorine, on l'aimait bien. Elle s'inquiétait toujours pour nous. Elle venait voir si « on n'avait besoin de rien ».

— Vos parents, y savent que vous êtes là ?

— Sûr, que je répondais.

— Et y vous ont pas préparé de pique-nique ?

— Sont trop pauvres.

On éclatait de rire. Elle haussait les épaules et partait en souriant. Complice comme une mère. Une mère de trois enfants qu'elle n'avait jamais eus. Puis elle revenait avec un quatre-heures. Ou une soupe de poissons, quand on restait dormir là le samedi soir. Le poisson, c'était Toinou, son mari, qui le pêchait. Parfois, il nous emmenait dans son bateau. À tour de rôle. C'est lui qui me donna le goût de la pêche. Et maintenant, j'avais son bateau sous ma fenêtre, le Trémolino.

Nous étions venus aux Goudes jusqu'à ce que l'armée nous sépare. Nous avions fait nos classes ensemble. À Toulon, puis à Fréjus, dans la Coloniale, au milieu de caporaux balafrés et médaillés jusqu'aux oreilles. Des survivants d'Indochine et d'Algérie qui rêvaient d'en découdre encore. Manu était resté à Fréjus. Ugo partit à Nouméa. Et moi à Djibouti. Après, nous n'étions plus les mêmes. Nous étions devenus des hommes. Désabusés, et cyniques. Un peu amers aussi. Nous n'avions rien. Même pas de C.A.P. Pas d'avenir. Rien que la vie. Mais la vie sans avenir c'était encore moins que rien.

Les petits boulots merdeux, on s'en lassa très vite. Un matin, on se pointa chez Kouros, une entreprise de construction de la vallée de l'Huveaune, sur la route d'Aubagne. Nous tirions la gueule, comme chaque fois qu'il fallait se refaire en bossant. La veille, nous avions claqué toute la tirelire au poker. Il avait fallu se lever tôt, prendre le bus, feinter pour ne pas payer, taper des clopes à un passant. Un vrai matin galère. Le Grec nous proposa 142 francs 57 la semaine. Manu blêmit. Ce n'était pas tellement le salaire dérisoire qu'il n'avalait pas, c'était les 57 centimes.

— Vous êtes sûr pour les 57 centimes, m'sieur Kouros ?

Le taulier regarda Manu, comme si c'était un demeuré, puis Ugo et moi. On connaissait notre Manu. Sûr qu'on était mal barré.

— C'est pas 56 ni 58. Ou même 59. Hein ? C'est bien 57 ? 57 centimes ?

Kouros confirma, sans rien comprendre. C'était un bon tarif, il pensait. 142 francs 57 centimes. Manu lui tira une claque. Violente, et bien placée. Kouros tomba de sa chaise. La secrétaire poussa un cri, puis hurla. Des gars déboulèrent dans le bureau. La bagarre. Et pas à notre avantage. Jusqu'à l'arrivée des flics. Le soir, on se dit que ça suffisait, qu'il fallait passer aux choses sérieuses. Se mettre à notre compte, voilà ce qu'il fallait. Peut être qu'on pourrait rouvrir la boutique d'Antonin ? Mais pour ça, on manquait de monnaie. On mit au point notre coup. Braquer une pharmacie de nuit. Un débit de tabac. Une station-service. L'idée, c'était de se constituer un petit pécule. Faucher, ça on savait. Des livres chez Tacussel sur la Canebière, des disques chez Raphaël rue Montgrand ou encore des fringues au Magasin Général ou aux Dames de France rue Saint-Ferréol. C'était même un jeu. Mais braquer, ça on savait pas faire. Pas encore. On allait vite apprendre. On passa des journées à élaborer des stratégies, à repérer le lieu idéal.

Un soir, on se retrouva aux Goudes. C'était les vingt ans de Ugo. Miles Davis jouait *Rouge*. Manu sortit un paquet de son sac et le posa devant Ugo.

— Ton cadeau.

Un automatique 9mm.

— Où t'as dégoté ça ?

Ugo regarda l'arme sans oser la toucher. Manu éclata de rire, puis replongea la main dans son sac et sortit une autre arme. Un Beretta 7. 65.

— Avec ça, on est parés. Il regarda Ugo, puis moi. J'ai pu en avoir que deux. Mais c'est pas grave. Nous on rentre, toi tu conduis la caisse. Tu restes au volant. Tu mates qu'on soit pas emmerdés. Mais y a aucun risque. L'endroit, c'est le désert à partir de huit heures. Le type, c'est un vieux. Et il est seul.

C'était une pharmacie. Rue des Trois-Mages, une

petite rue pas loin de la Canebière. J'étais au volant d'une 204 Peugeot que j'avais levée le matin rue Saint-Jacques, chez les bourgeois. Manu et Ugo s'étaient enfoncé un bonnet de marin jusqu'aux oreilles et avaient mis un foulard sur leur nez. Ils bondirent de la voiture, comme on l'avait vu au ciné. Le type leva d'abord les bras, puis ouvrit le tiroir-caisse. Ugo ramassa l'argent tandis que Manu menaçait le vieux avec le Beretta. Une demi-heure après, on trinquait au Péano. C'est pour nous, les mecs ! Tournée générale ! On avait raflé mille sept cents francs. Une belle somme pour l'époque. L'équivalent de deux mois chez Kouros, centimes compris. C'était aussi simple que ça.

Bientôt, de l'argent, on en eut plein les poches. À claquer sans regarder à la dépense. Les filles. Les bagnoles. La fête. On finissait nos nuits chez les Gitans, à l'Estaque, à boire et à les écouter jouer. Des parents à Zina et Kali, les sœurs de Lole. Lole, maintenant, accompagnait ses sœurs. Elle venait d'avoir seize ans. Elle restait dans un coin, recroquevillée, silencieuse. Absente. Ne mangeant presque pas et ne buvant que du lait.

On oublia vite la boutique d'Antonin. On se dit qu'on verrait plus tard, qu'un peu de bon temps, quand même, c'était bon à prendre. Et puis, peut-être que ce n'était pas une bonne idée, cette boutique. Qu'est-ce qu'on se ferait comme fric ? Pas grand-chose, vu dans quelle misère Antonin avait fini. Peut-être qu'un bar ce serait mieux. Ou une boîte de nuit. Je suivais. Stations-service, débits de tabac, pharmacies. On écuma le département, d'Aix aux Martigues. On poussa même une fois jusqu'à Salon-de-Provence. Je suivais toujours. Mais avec de moins en moins d'enthousiasme. Comme au poker avec un jeu bidon.

Un soir, on remit ça sur une pharmacie. Au coin de la place Sadi-Carnot et de la rue Mery, pas loin du Vieux-Port. Le pharmacien fit un geste. Une sirène retentit. Et le coup de feu claqua. De la bagnole, je vis le type s'écrouler.

— Fonce, me dit Manu en s'installant à l'arrière.

J'arrivai place du Mazeau. Il me semblait entendre les sirènes de police pas loin, derrière nous. À droite, le Panier. Pas de rues, que des escaliers. Sur ma gauche, la rue de la Guirlande, sens interdit. Je pris la rue Caisserie, puis la rue Saint-Laurent.

— T'es con ou quoi ! C'est le piège à rats par là.

— Le con, c'est toi ! Pourquoi t'as tiré ?

J'arrêtai la voiture impasse Belle-Marinière. Je désignai les marches à travers les nouveaux immeubles.

— On se casse par là. À pied. Ugo n'avait encore rien dit. Ça va, Ugo ?

— Y a dans les cinq mille. C'est notre plus beau coup.

Manu partit par le rue des Martégales. Ugo par l'avenue Saint-Jean. Moi par la rue de la Loge. Mais je ne les rejoignis pas au Péano, comme c'était maintenant l'habitude. Je rentrai chez moi, et vomis. Puis je me mis à boire. À boire et à chialer. En regardant la ville du balcon. J'entendais mon père ronfler. Il avait trimé dur, souffert, mais, avais-je pensé, jamais je ne serais aussi heureux que lui. Complètement ivre sur le lit, je jurai sur ma mère, devant son portrait, que si le type s'en sortait je me faisais curé, que s'il ne s'en sortait pas je me faisais flic. N'importe quoi, mais je jurai. Le lendemain, je m'engageai dans la Coloniale, pour trois ans. Le type n'était ni mort ni vivant, mais paralysé à vie. J'avais demandé à retourner à Djibouti. C'est là que je vis Ugo pour la dernière fois

Tous nos trésors étaient ici, dans le cabanon. Intacts. Les livres, les disques. Et j'étais le seul survivant.

« Je vous ai fait de la foccacha », avait écrit Honorine sur un petit bout de papier. La foccacha, cela relève du croque-monsieur, mais avec de la pâte à pizza. À l'intérieur, on met ce que l'on aime. Et on sert chaud. Ce soir, c'était jambon cru et mozzarella. Comme tous les jours depuis la mort de Toinou, il y a trois ans, Honorine m'avait préparé un repas. Elle venait d'avoir soixante-dix ans et elle aimait faire la cuisine. Mais la cuisine elle ne pouvait la faire que pour un homme. J'étais son homme. Et j'adorais ça. Je m'installai dans le bateau, la foccacha et une bouteille de Cassis blanc — un Clos Boudard, 91, près de moi. Je sortis à la rame pour ne pas troubler le sommeil des voisins, puis, passé la digue, je mis le moteur et fis cap sur l'île Maïre.

J'avais envie d'être là. Entre le ciel et la mer. Devant moi, toute la baie de Marseille s'étendait comme un ver luisant. Je laissai le bateau flotter. Mon père avait rangé les rames. Il me prit par les mains et me dit : « N'aie pas peur ». Il me plongea dans l'eau jusqu'aux épaules. La barque penchait vers moi et j'eus son visage au-dessus du mien. Il me souriait. « C'est bon, hein. » J'avais fait oui de la tête. Pas rassuré du tout. Il me replongea dans l'eau. C'est vrai, que c'était bon. C'était mon premier contact avec la mer. Je venais d'avoir cinq ans. Ce bain, je le situais par là et j'y revenais chaque fois que la tristesse me gagnait. Comme on cherche à revenir à sa première image du bonheur.

Triste, ce soir, je l'étais. La mort d'Ugo me restait en travers du cœur. J'étais oppressé. Et seul. Plus que jamais. Ostensiblement, chaque année je rayais de mon carnet d'adresses le copain qui tenait un propos raciste. Négligeais ceux qui ne rêvaient plus que de nouvelle voiture et de vacances au Club Med. J'oubliais tous ceux qui jouaient au Loto. J'aimais la pêche et le silence. Marcher dans les collines. Boire du Cassis frais. Du Lagavulin, ou de l'Oban, tard dans la nuit. Je parlais peu. J'avais des avis sur tout. La vie, la mort. Le Bien, le Mal. J'étais fou de cinéma. Passionné de musique. Je ne lisais plus les romans de mes contemporains. Et, plus que tout, je vomissais les tièdes, les mous.

Cela avait séduit pas mal de femmes. Je n'avais su en garder aucune. Chaque fois je revivais la même histoire. Ce qui leur plaisait en moi, il fallait qu'elles entreprennent de le changer, à peine installées dans les draps neufs d'une vie commune. « On ne te refera pas », avait dit Rosa en partant, il y a six ans. Elle avait essayé pendant deux ans. J'avais résisté. Encore mieux qu'avec Muriel, Carmen et Alice. Et une nuit je me retrouvais toujours devant un verre vide et un cendrier plein de mégots.

Je bus le vin à même la bouteille. Encore une de ces nuits où je ne savais plus pourquoi j'étais flic. Depuis cinq ans on m'avait affecté à la Brigade de

Surveillance de Secteurs. Une unité de flics sans formation chargée de faire régner l'ordre dans les banlieues. J'avais de l'expérience, du sang-froid, et j'étais un mec calme. Le type idéal à envoyer au casse-pipe après quelques bavures retentissantes. Lahaouri Ben Mohamed, un jeune de dix-sept ans, s'était fait descendre lors d'un banal contrôle d'identité. Les associations antiracistes avaient gueulé, les partis de gauche s'étaient mobilisés. Tout ça, quoi. Mais ce n'était qu'un Arabe. Pas de quoi foutre en l'air les Droits de l'Homme. Non. Mais quand, en février 1988, Charles Dovero, le fils d'un chauffeur de taxi, se fit flinguer, la ville fut en émoi. Un Français, merde. Ça, c'était une vraie bavure. Il fallait prendre des mesures. Ce fut moi. Je pris mes fonctions la tête bourrée d'illusions. L'envie d'expliquer, de convaincre. De donner des réponses, les bonnes de préférence. D'aider. Ce jour-là, j'avais commencé *à glisser*, selon l'expression de mes collègues. De moins en moins flic. De plus en plus éducateur de rue. Ou assistante sociale. Ou quelque chose comme ça. Depuis, j'avais perdu la confiance de mes chefs et je m'étais fait pas mal d'ennemis. Certes, il n'y avait plus eu de bavures, et la petite criminalité n'avait pas progressé, mais le « tableau de chasse » était peu glorieux : pas d'arrestations spectaculaires, pas de super-coup médiatique. La routine, bien gérée.

Les réformes, nombreuses, accrurent mon isolement. Il n'y eut pas d'affectations supplémentaires à la BSS. Et, un matin, je m'étais retrouvé sans plus aucun pouvoir. Dépossédé par la brigade anticriminalité, la brigade antidrogue, la brigade antiprostitution, la brigade anti-émigration clandestine. Sans compter la brigade de répression du grand banditisme que dirige Auch, avec brio. J'étais devenu un flic de banlieue à qui échappaient toutes les enquêtes. Mais, depuis la Coloniale, je ne savais rien faire d'autre, que ça, être flic. Et personne ne m'avait mis au défi de faire autre chose. Mais je savais que mes collègues avaient raison, je *glissais*. Je devenais un flic dangereux. Pas celui qui pourrait tirer dans le dos d'un loubard pour sauver la peau d'un copain.

Le répondeur clignotait. Il était tard. Tout pouvait attendre. J'avais pris une douche. Je me servis un verre de Lagavulin, mis un disque de Thelonious Monk et me couchai avec *En marge des marées* de Conrad. Mes yeux se fermèrent. Monk continua en solo.

2

Où même sans solution, parier c'est encore espérer.

Je garai ma R5 sur le parking de La Paternelle. Une cité maghrébine. Ce n'était pas la plus dure. Ce n'était pas la moins pire. Il était à peine 10 heures et il faisait déjà très chaud. Ici, le soleil pouvait s'en donner à cœur joie. Pas un arbre, rien. La cité. Le parking. Le terrain vague. Et au loin, la mer. L'Estaque et son port. Comme un autre continent. Je me souvenais qu'Aznavour chantait : *La misère est moins dure au soleil*. Sans doute n'était-il pas venu jusqu'ici. Jusqu'à ces amas de merde et de béton.

Quand j'avais débarqué dans les cités, je m'étais frotté tout de suite aux voyous, aux toxicos et aux zonards. Ceux qui sortent du rang, qui jettent le froid. Qui foutent la trouille aux gens. Pas qu'à ceux du centre, mais à ceux des cités aussi. Les voyous, des adolescents déjà avancés dans la délinquance. Braqueurs, dealers, racketteurs. Certains, à peine âgés de dix-sept ans, totalisent parfois deux ans de prison, assortis d'un « sursis de mise à l'épreuve » de plusieurs années. Des petits durs, au cran d'arrêt facile. Craignos. Les toxicos, eux, ne cherchent pas les emmerdes. Sauf qu'il leur faut souvent de la thune, et que, pour ça, ils peuvent faire n'importe quelle connerie. Ça leur pendait au nez. Leur visage, c'était déjà un aveu.

Les zonards, c'est des mecs cool. Pas de conneries. Pas de casier judiciaire. Ils sont inscrits au LEP, mais n'y vont pas, ce qui arrange tout le monde : ça allège les classes et ça permet d'obtenir des profs supplémentaires. Ils passent les après-midi à la Fnac ou chez Virgin. Tapent une clope par-ci, cent balles par-là. La démerde, saine. Jusqu'au jour où ils se mettent à rêver de rouler en BMW, parce qu'ils en ont marre de prendre le bus. Ou qu'ils ont « l'illumination » de la dope. Et se fixent.

Puis il y a tous les autres, que j'ai découverts après. Une flopée de gosses sans autre histoire que celle d'être nés là. Et arabes. Ou noirs, gitans, comoriens. Lycéens toutes catégories, travailleurs intérimaires, chômeurs, emmerdeurs publics, sportifs. Leur adolescence, c'était comme marcher sur une corde raide. À cette différence qu'ils avaient presque toutes les chances de tomber. Où ? Ça c'était la loterie. Personne ne savait. Loubard, zonard, toxico. Ils le sauraient tôt ou tard. Quand pour moi c'était toujours trop tôt, pour eux c'était trop tard. En attendant, ils se faisaient épingler pour des broutilles. Pas de ticket de bus, bagarre à la sortie du collège, petite fauche au supermarché.

De ça, ils en causaient sur Radio Galère, la radio sale qui lave la tête. Une radio de tchatche, que j'écoutais régulièrement en voiture. J'attendis la fin de l'émission, la portière ouverte.

— Nos vieux, y peuvent plus nous aider, putain ! Par exemple, tu me prends moi. J'arrive à dix-huit balais, hein. Ben, y m'faut cinquante ou cent balles, le vendredi soir. Normal, non ? Chez moi, on est cinq. Le vieux, où tu veux qu'y trouve cinq cents balles, toi ? Donc, plus ou moins, j'dis pas moi, mais... le jeune, il devra...

— Faire les poches ! Té !

— Déconne pas !

— Ouais ! Et le type qui s'fait tirer son fric, y voit qu'c'est un Arabe. Vé, d'un seul un coup un seul, il te devient Front national !

— Mêm'qu'si il est pas raciste, té !

— Ç'aurait pu être, j'sais pas moi, un Portugais, un Français, un Gitan.

— Ou un Suisse ! Con ! Des voleurs, y en a de partout.

— Manque de pot, à Marseille, faut reconnaître qu'c'est plus souvent un Arabe qu'un Suisse.

Depuis que je m'occupais du secteur, j'avais alpagué quelques vrais malfrats, pas mal de dealers et de braqueurs. Flagrants délits, courses poursuites à travers les cités ou sur les périphs. Direction les Baumettes, la grande taule marseillaise. Je le faisais sans pitié, sans haine non plus. Mais avec un doute, toujours. La prison, à dix-huit piges, quel que soit le mec, on lui casse sa vie. Quand on braquait avec Manu et Ugo, les risques, on ne se posait pas la question. On connaissait la règle. Tu joues. Si tu gagnes, tant mieux. Si tu perds, tant pis. Sinon, fallait rester à la maison.

C'était toujours la même règle. Mais les risques étaient cent fois plus grands. Et les prisons regorgeaient de mineurs. Six pour un, je savais ça. Un chiffre qui me filait le bourdon.

Une dizaine de gosses se couraient après en se lançant des pierres grosses comme le poing. « Pendant c'temps y font pas d'conn'ries », m'avait dit une des mères. Les conneries, c'est quand il fallait les flics. Ça, ce n'était que la version junior de *OK Corral*. Devant le bâtiment C12, six beurs, douze-dix-sept ans, discutaient le coup. Dans le mètre cinquante d'ombre qu'offrait l'immeuble. Ils me virent venir vers eux. Surtout le plus âgé. Rachid. Il commença à secouer la tête et à souffler, persuadé que rien que ma présence, c'était le début des emmerdements. Je n'avais pas l'intention de le décevoir. Je lançai à la cantonade :

— Alors, on fait classe en plein air ?

— Vé ! C'est journée pédagogique, 'jourd'hui, m'sieur. Y se font classe entre eusse, dit le plus jeune.

— Ouais. Voir si sont balèzes, pour nous z'entrer des trucs dans la chetron, renchérit un autre.

— Super. Et vous êtes en pleins travaux pratiques, je suppose.

— Quoi ! Quoi ! On fait rien d'mal ! lâcha Rachid.

Pour lui, l'école était finie depuis longtemps. Viré du LEP. Après avoir menacé un prof qui l'avait traité de débile. Un brave gosse pourtant. Il espérait un stage d'apprentissage. Comme beaucoup dans les cités. L'avenir, c'était ça, attendre un stage de quelque chose, même de n'importe quoi. Et c'était mieux que de ne rien attendre du tout.

— Je dis rien, moi, je m'informe. Il portait un survêtement aux couleurs de l'OM, bleu et blanc. Je palpai le tissu. C'est tout neuf, dis donc.

— Quoi ! J'l'ai payé. C'est ma mèr'.

Je passai mon bras autour de ses épaules et l'entraînai

hors du groupe. Ses copains me regardèrent, comme si je venais d'enfreindre la loi. Prêts à hurler.

— Dis Rachid, je vais au B7, là-bas. Tu vois. Au cinquième. Chez Mouloud. Mouloud Laarbi. Tu connais ?

— Ouais. Et alors ?

— Je vais y rester, heu, une heure peut-être.

— Qu'j'ai à voir, moi ?

Je lui fis faire encore quelques pas, vers ma voiture.

— Là, devant toi, c'est ma tire. C'est pas un chef-d'œuvre, tu me diras. D'accord. Mais j'y tiens. J'aimerais pas qu'elle ait un problème. Pas même une rayure. Alors, tu la surveilles. Et si t'as envie d'aller pisser, tu t'arranges avec tes potes. OK ?

— Chuis pas l'gardien, moi, m'sieur.

— Ben, exerce-toi. Y a peut-être une place à prendre. Je lui serrai l'épaule un peu plus fort. Pas une rayure, hein, Rachid, sinon...

— Quoi ! J'fais rien. Pouvez rien m'accuser.

— Je peux tout Rachid. Je suis flic. T'as pas oublié, dis ? Je laissai courir ma main dans son dos. Si je te mets la main au cul, là, dans la poche arrière, qu'est-ce que je trouve ?

Il se dégagea vivement. Énervé. Je savais qu'il n'avait rien. Je voulais juste en être sûr.

— J'ai rien. J'touch'pas à ces trucs.

— Je sais. T'es un pauvre petit rebeu qu'un connard de flic fait chier. C'est ça ?

— Pas dit ça.

— T'en penses pas moins. Surveille bien ma tire, Rachid.

Le B7 ressemblait à tous les autres. Le hall était cradingue. L'ampoule avait été fracassée à coups de pierres. Ça puait la pisse. Et l'ascenseur ne marchait pas. Cinq étages. Les monter à pied, c'est sûr qu'on ne montait pas au Paradis. Mouloud avait appelé hier soir, sur le répondeur. Surpris d'abord par la voix enregistrée, il y avait eu des « Allô ! Allô ! », un silence, puis le message. « Siou plaît, faut qu'tu viennes, m'sieur Montale. C'est pour Leila. »

Leila, c'était l'aînée des trois enfants. Il en avait trois. Kader et Driss. Il en aurait eu peut-être plus. Mais Fatima, sa femme, était morte en accouchant de Driss. Mouloud, c'était à lui tout seul le rêve de l'immigration. Il fut l'un des premiers à être embauchés sur le chantier de Fos-sur-Mer, fin 1970.

Fos, c'était l'Eldorado. Du travail, il y en avait pour des siècles. On bâtissait un port qui accueillerait des méthaniers énormes, des usines où l'on coulerait l'acier de l'Europe. Il était fier de participer à cette aventure, Mouloud. Il aimait ça, bâtir, construire. Sa vie, sa famille, il les avait forgées à cette image. Il n'obligea jamais ses enfants à se couper des autres, à ne pas fréquenter les Français. Seulement à éviter les mauvaises relations. Garder le respect d'eux-mêmes. Acquérir des manières convenables. Et réussir le plus haut possible. S'intégrer dans la société sans se renier. Ni sa race, ni son passé.

« Quand on était petits, me confia un jour Leila, il nous faisait réciter après lui : *Alla Akbar, La ilah illa Allah, Mohamed rasas Allah, Ayya illa Salat, Ayya illa el Fallah.* On n'y comprenait rien. Mais c'était bon à entendre. Ça ressemblait à ce qu'il racontait de l'Algérie. » À cette époque-là, Mouloud était heureux. Il avait installé sa famille à Port-de-Bouc, entre les Martigues et Fos. À la mairie on avait été « gentil avec lui » et il avait vite obtenu une belle HLM, avenue Maurice Thorez. Le boulot était dur, et plus il y avait d'Arabes et mieux on se portait. C'était ce que pensaient les anciens des chantiers navals, qui s'étaient fait réembaucher à Fos. Des Italiens, en majorité des Sardes, des Grecs, des Portugais, quelques Espagnols.

Mouloud adhéra à la C. G. T. C'était un travailleur, et il avait besoin de se trouver une famille, pour le comprendre, l'aider, le défendre. « Celle-là, c'est la plus grande », lui avait dit Guttierez, le délégué syndical. Et il avait ajouté : « Après le chantier, il y aura des stages pour entrer dans la sidérurgie. Avec nous, tu as déjà ta place dans l'usine. »

Mouloud, ça, ça lui plaisait. Il le croyait, dur comme fer. Guttierez le croyait aussi. La C. G. T. le croyait. Marseille le croyait. Toutes les villes autour le croyaient, et construisaient des HLM à tour de bras, des écoles, des routes pour accueillir tous les travailleurs promis à cet Eldorado. La France elle-même le croyait. Au premier lingot d'acier coulé, Fos n'était déjà plus qu'un mirage. Le dernier grand rêve des années soixante-dix. La plus cruelle des désillusions. Des milliers d'hommes restèrent sur le carreau. Et Mouloud parmi eux. Mais il ne se découragea pas.

Avec la C. G. T., il fit grève, il occupa le chantier, et se battit contre les C. R. S. qui vinrent les déloger. Ils avaient perdu, bien sûr. On ne gagne jamais contre l'arbitraire économique des costards-cravate. Driss venait de naître. Fatima était morte. Et Mouloud, fiché comme agitateur, ne trouva plus de vrai travail. Que des petits boulots. Maintenant, il était manutentionnaire chez Carrefour. Au Smig. Après tant d'années. Mais, disait-il, « c'était une chance ». Mouloud était comme ça, il y croyait, en la France.

C'est dans le bureau du commissariat de police du secteur que Mouloud, un soir, me raconta sa vie. Avec fierté. Pour que je comprenne. Leila l'accompagnait. C'était il y a deux ans. Je venais d'interpeller Driss et Kader. Quelques heures plus tôt, Mouloud avait acheté des piles pour le transistor que ses enfants lui avaient offert. Des piles au détail. Les piles ne marchaient pas. Kader descendit chez le droguiste, sur le boulevard, pour les échanger. Driss le suivait.

— Savez pas le faire marcher, c'est tout.

— Si, je sais, répondit Kader. 'Pas la première fois, quoi.

— Vous les Arabes, vous savez toujours tout.

— C'est pas poli, m'dame, de dir'ça.

— J'suis polie si je veux. Mais pas avec des sales bicots comme vous. Vous me faites perdre mon temps. Reprends tes piles. Que d'abord c'est des vieilles que t'as pas achetées chez moi.

— C'est mon pèr'. Les a achetées t'à l'heure.

Son mari surgit de l'arrière boutique avec un fusil de chasse.

— Va l'chercher ton menteur de père ! J'lui ferai avaler ses piles. Il avait jeté les piles par terre. Tirez-vous ! Bordilles, que vous êtes !

Kader poussa Driss hors du magasin. Puis tout alla très vite. Driss, qui n'avait encore rien dit, ramassa une grosse pierre, et la balança dans la vitrine. Il partit en courant, suivi par Kader. Le type était sorti du magasin et leur avait tiré dessus. Sans les atteindre. Dix minutes après, une centaine de gosses assiégeaient le droguiste. Il fallut plus de deux heures, et un car de C. R. S., pour ramener le calme. Sans mort, ni blessé. Mais j'étais furieux. Ma mission, justement, c'était d'éviter de faire appel aux C. R. S. Pas d'émeute, pas de provocation, et surtout pas de bavures.

J'avais écouté le droguiste.

— Les crouilles, y en a trop. C'est ça le problème.

— Ils sont là. C'est pas vous qui les avez amenés. C'est pas moi non plus. Ils sont là. Et nous devons vivre avec.

— Vous êtes pour eux, vous ?

— Faites pas chier, Varounian. Ils sont arabes. Vous êtes arménien.

— Fier de l'être. Z'avez quoi contre les Arméniens ?

— Rien. Contre les Arabes non plus.

— Ouais. Et ça donne quoi ? Le centre, on dirait Alger, ou Oran. Z'y êtes allé, là-bas ? Moi oui. Vé, ça te pue pareil maintenant. Je le laissai parler. Avant, tu bousculais un bougnoule dans la rue, il s'excusait. Maintenant, il te dit : « Tu peux pas t'excuser ! » Sont arrogants, voilà c'qu'y sont ! Se croient chez eux, merde !

Puis, je n'eus plus envie d'écouter. Ni même de discuter. Ça m'écœurait. Et c'était tout le temps comme ça. L'écouter, c'était comme lire *Le Méridional*. Chaque jour, le quotidien d'extrême-droite distillait la haine. *Un jour ou l'autre*, avait-il été jusqu'à écrire, *il faudra employer les C. R. S., les Gardes mobiles, les chiens policiers pour détruire les casbahs marseillaises*... Ça péterait un jour, si on ne faisait rien. C'était sûr. Je n'avais pas de solution. Personne n'en avait. Il fallait attendre. Ne pas se résigner. Parier. Croire que Marseille survivrait à ce nouveau brassage humain. Renaîtrait. Marseille en avait vu d'autres.

J'avais renvoyé chacun dans son camp. Avec des amendes pour « désordre sur la voie publique », précédées d'un petit couplet moral. Varounian partit le premier.

— Aux flics comme vous, on fera la fête, dit-il en ouvrant la porte. Bientôt. Quand on s'ra au pouvoir.

— Au revoir, monsieur Varounian, répliqua Leila, avec arrogance.

Il la fusilla du regard. Je n'en fus pas sûr, mais je crus bien l'entendre marmonner un « salope » entre ses lèvres. J'avais souri à Leila. Quelques jours après, elle m'appela à l'Hôtel de Police pour me remercier et pour m'inviter à venir prendre le thé, le dimanche. J'avais accepté. Il m'avait plu, Mouloud.

Maintenant, Driss était apprenti dans un garage, rue Roger Salengro. Kader travaillait à Paris, chez un oncle qui tenait une épicerie rue de Charonne. Leila était en fac, à Aix-en-Provence. Elle terminait cette année une maîtrise de lettres modernes. Mouloud était à nouveau heureux. Ses enfants se casaient. Il en était fier, surtout de sa fille. Je le comprenais. Leila était intelligente, bien dans sa peau, et belle. Le portrait de sa mère, m'avait dit Mouloud. Et il m'avait montré une photo de Fatima, de Fatima et lui sur le Vieux-Port. Leur première journée ensemble depuis des années. Il était allé la chercher là-bas, pour l'emmener au Paradis.

Mouloud ouvrit la porte. Ses yeux étaient rouges.
— Elle a disparu. Leila, elle a disparu.

Mouloud prépara le thé. Il n'avait pas eu de nouvelles de Leila depuis trois jours. Ce n'était pas son habitude. Je le savais. Leila avait du respect pour son père. Il n'aimait pas qu'elle soit en jeans, qu'elle fume, qu'elle boive un apéritif. Il le lui disait. Ils en discutaient, s'engueulaient, mais il ne lui avait jamais imposé ses idées. Leila, il lui faisait confiance. C'est pour ça qu'il l'avait autorisée à prendre une chambre en cité universitaire à Aix. À vivre indépendante. Elle téléphonait tous les deux jours et venait le dimanche. Souvent elle restait dormir. Driss lui laissait le canapé du salon et se couchait avec son père.

Ce qui rendait le silence de Leila inquiétant, c'est qu'elle n'avait même pas appelé pour dire si elle avait eu ou non sa maîtrise.

— Elle a peut-être raté. Et elle a honte... Elle est dans son coin, qu'elle pleure. Elle ose pas revenir.

— Peut-être.

— Tu devrais aller la chercher, m'sieur Montale. Lui dire que c'est pas grave.

Il n'en croyait pas un mot, Mouloud, de ce qu'il disait. Moi non plus. Si elle avait raté sa maîtrise, elle aurait pleuré, oui. Mais de là à se terrer dans sa chambre, ça non, je ne pouvais le croire. Et puis j'étais persuadé qu'elle l'avait eue sa maîtrise. *Poésie et devoir d'identité*. Je l'avais lue, il y avait quinze jours, et j'avais trouvé que c'était un travail remarquable. Mais je n'étais pas le jury et Leila était arabe.

Elle s'était inspirée d'un écrivain libanais, Salah

Stétié, et avait développé quelques-uns de ses arguments. Elle jetait des ponts entre Orient et Occident. Par-dessus la Méditerranée. Et elle rappelait que dans *Les Mille et une nuits*, sous les traits de Sindbad le Marin, transparaissait tel ou tel des épisodes de l'*Odyssée*, et l'ingéniosité reconnue à Ulysse et à sa malicieuse sagesse.

Surtout, j'avais aimé sa conclusion. Pour elle, enfant de l'Orient, la langue française devenait ce lieu où le migrant tirait à lui toutes ses terres et pouvait enfin poser ses valises. La langue de Rimbaud, de Valéry, de Char saurait se métisser, affirmait-elle. Le rêve d'une génération de beurs. À Marseille, ça causait déjà un curieux français, mélange de provençal, d'italien, d'espagnol, d'arabe, avec une pointe d'argot et un zeste de verlan. Et les mômes, ils se comprenaient bien avec ça. Dans la rue. À l'école et à la maison, c'était une autre paire de manches.

La première fois où j'allai la chercher à la fac, je découvris les graffitis racistes sur les murs. Injurieux et obscènes. Je m'étais arrêté devant le plus laconique : « Les Arabes, les Noirs dehors ! » Pour moi, la fac fasciste, c'était la fac de droit. À cinq cents mètres de là. La connerie humaine gagnait aussi les lettres modernes ! Quelqu'un avait rajouté, pour ceux qui n'auraient pas compris : « les Juifs aussi. »

— Ça doit pas inciter à travailler, je lui dis.

— Je ne les vois plus.

— Oui, mais ils sont dans ta tête. Non ?

Elle haussa les épaules, alluma une Camel puis me prit par le bras pour m'emmener loin de là.

— Un jour, on y arrivera, à faire valoir nos droits. Je vote. Pour ça, justement. Et je suis plus la seule.

— Vos droits. Oui, peut être. Mais ça changera pas ta gueule.

Elle me fit face, un sourire sur les lèvres. Ses yeux noirs pétillaient.

— Ah ouais ! Qu'est-ce qu'elle a, ma gueule ? Elle te plaît pas peut-être ?

— Très jolie, balbutiai-je.

Elle avait une bouille à la Maria Schneider, dans *Le Dernier Tango à Paris*. Aussi ronde, des cheveux aussi longs et frisés, mais noirs. Comme ses yeux, qui s'étaient plantés dans les miens. J'avais rougi.

Leila, ces deux dernières années, je la vis souvent. J'en savais plus sur elle que son père. Nous avions pris l'habitude de déjeuner ensemble un midi par semaine. Elle me parlait de sa mère qu'elle avait à peine connue. Elle lui manquait. Le temps n'arrangeait rien. Au contraire. L'anniversaire de Driss était chaque année un mauvais moment à passer. Pour tous les quatre.

— Driss, tu vois, c'est pour ça qu'il est devenu, pas méchant, non, mais violent. À cause de cette malédiction sur lui. Il a la haine. Un jour, mon père il m'a dit : « Si j'avais eu à choisir, j'aurais choisi ta mère. » Il m'a dit ça à moi, parce que j'étais la seule à pouvoir comprendre.

— Le mien aussi, tu sais, il m'a dit ça. Mais ma mère s'en est sortie. Et moi je suis là. Fils unique. Et seul.

— La solitude est un cercueil de verre. Elle sourit. C'est le titre d'un roman. T'as pas lu ça ? Je secouai la tête. C'est de Ray Bradbury. Un polar. Je te le prêterai. Tu devrais lire des romans plus contemporains.

— Ils ne m'intéressent pas. Ils manquent de style.

— Bradbury ! Fabio !

— Bradbury, peut-être.

Et nous partions dans de grandes discussions sur la littérature. Elle, la future prof de lettres et moi, le flic autodidacte. Les seuls livres que j'avais lus, c'étaient ceux que nous avait donnés le vieil Antonin. Des livres d'aventures, de voyages. Et des poètes aussi. Des poètes marseillais, aujourd'hui oubliés. Émile Sicard, Toursky, Gérald Neveu, Gabriel Audisio et Louis Brauquier, mon préféré.

À cette époque-là, le repas hebdomadaire du midi ne suffisait plus. Nous nous retrouvions un ou deux soirs par semaine. Quand je n'étais pas de service, ou qu'elle ne faisait pas de baby-sitting. J'allais la chercher à Aix et nous allions au cinéma, puis dîner quelque part.

Nous nous étions lancés dans une grande tournée des cuisines étrangères, ce qui, d'Aix à Marseille, pouvait nous occuper de longs mois. Nous donnions des étoiles par-ci, des mauvais points par-là. En tête de notre sélection, le Mille et Une nuits, boulevard d'Athènes. On y mangeait sur des poufs, devant un grand plateau de cuivre, en écoutant du raï. Cuisine marocaine. La plus raffinée du Maghreb. Ils servaient là la meilleure pastilla de pigeon que j'aie jamais mangée.

Ce soir-là, j'avais proposé d'aller dîner aux Tamaris, un petit restaurant grec dans la calanque de Samena, pas loin de chez moi. Il faisait chaud. Une chaleur épaisse, sèche comme souvent fin août. Nous avions commandé des choses simples : salade de concombres au yaourt, feuilles de vignes farcies, tarama, brochettes aux cent épices, grillées sur des sarments de vigne, avec un filet d'huile d'olive, petit chèvre. Le tout arrosé d'un Resina blanc.

Nous avions marché sur la petite plage de galets, puis nous nous étions assis sur les rochers. C'était une nuit superbe. Au loin, le phare de Planier indiquait le cap. Leila posa sa tête sur mon épaule. Ses cheveux sentaient le miel et les épices. Son bras glissa sous le mien, pour prendre ma main. À son contact, je frissonnai. Je n'eus pas le temps de me défaire de ses doigts. Elle se mit à réciter un poème de Brauquier, en arabe :

Nous sommes aujourd'hui sans ombre et sans mystère,
Dans une pauvreté que l'esprit abandonne ;
Rendez-nous le péché et le goût de la terre
Qui fait que notre corps s'émeut, tremble et se donne.

— Je l'ai traduit pour toi. Pour que tu l'entendes dans ma langue.

Sa langue c'était aussi sa voix. Douce comme du halva. J'étais ému. Je tournai mon visage vers elle. Lentement, pour garder sa tête sur mon épaule. Et m'enivrer de son odeur. Je vis briller ses yeux, à peine éclairés par le reflet de la lune sur l'eau. J'eus envie de la prendre dans mes bras, de la serrer contre moi. De l'embrasser.

Je ne l'ignorais pas, et elle non plus, nos rencontres de plus en plus fréquentes conduisaient à cet instant. Et cet instant, je le redoutais. Mes désirs, je ne les connaissais que trop bien. Je savais comment tout cela finirait. Dans un lit, puis dans les larmes. Je n'avais fait que répéter des échecs. La femme que je cherchais, il me fallait la trouver. Si elle existait. Mais ce n'était pas Leila. Pour elle, si jeune, je n'avais que du désir. Je n'avais pas le droit de jouer avec elle. Pas avec ses sentiments. Elle était trop bien pour ça. Je l'embrassai sur le front. Sur ma cuisse, je sentis la caresse de sa main.

— Tu m'emmènes chez toi ?

— Je te raccompagne à Aix. C'est mieux pour toi et moi. Je ne suis qu'un vieux con.

— J'aime bien les vieux cons, aussi.

— Laisse tomber, Leila. Trouve quelqu'un de pas con. Et de plus jeune.

Je conduisais en regardant droit devant moi. Sans qu'on échange un seul regard. Leila fumait. J'avais mis une cassette de Calvin Russel. J'aimais assez. Pour rouler, c'était bien. J'aurais pu traverser l'Europe pour ne pas prendre l'embranchement d'autoroute qui conduisait à Aix. Russel chantait *Rockin' the republicans*. Leila, toujours sans parler, arrêta la cassette avant qu'il n'attaque *Baby I love you*.

Elle en enclencha une autre, que je ne connaissais pas. De la musique arabe. Un solo d'oud. La musique qu'elle avait rêvée pour cette nuit avec moi. L'oud se répandit dans la voiture comme une odeur. L'odeur paisible des oasis. Dattes, figues sèches, amandes. J'osai un regard vers elle. Sa jupe était remontée sur ses cuisses. Elle était belle, belle pour moi. Oui, je la désirais.

— Tu n'aurais pas dû, elle dit avant de descendre.

— Pas dû quoi ?

— Me laisser t'aimer.

Elle claqua la porte. Mais sans violence. Juste la

tristesse. Et la colère qui va avec. C'était il y a un an. Nous ne nous étions plus retrouvés. Elle n'avait plus appelé. J'avais ruminé son absence. Il y a quinze jours, j'avais reçu par la poste son mémoire de maîtrise. Sur une carte, juste ces mots : « Pour toi. À bientôt ».

— Je vais la chercher, Mouloud. T'inquiète pas.

Je lui fis mon plus beau sourire. Celui du bon flic à qui on peut faire confiance. Je me souvenais que Leila, parlant de ses frères, disait : « Quand il est tard, et qu'il y en a un qui n'est pas rentré, on s'inquiète. Ici tout peut arriver ». Inquiet, je l'étais.

Devant le C12, Rachid était seul, assis sur un skate. Il se leva en me voyant sortir de l'immeuble, ramassa son skate et disparut dans le hall. Sans doute m'envoya-t-il niquer ma mère, enculé de ta race. Mais ça n'avait aucune importance. Sur le parking, ma voiture n'avait pas pris une seule rayure.

3

Où l'honneur des survivants, c'est de survivre.

Une brume de chaleur enveloppait Marseille. Je roulais sur l'autoroute, vitres ouvertes. J'avais mis une cassette de B. B. King. Le son au maximum. Rien que la musique. Je ne voulais pas penser. Pas encore. Seulement faire le vide dans ma tête, repousser les questions qui affluaient. Je revenais d'Aix et tout ce que je craignais se confirmait. Leila avait vraiment disparu.

J'avais erré dans une fac déserte à la recherche du secrétariat. Avant d'aller à la cité universitaire, j'avais besoin de savoir si Leila avait eu sa maîtrise. La réponse était oui. Avec mention. Elle avait disparu, après. Sa vieille Fiat Panda rouge était garée sur le parking. J'y avais jeté un œil, mais rien ne traînait à l'intérieur. Ou elle était en panne, ce que je n'avais pas vérifié, et elle était partie en bus, ou quelqu'un était venu la chercher.

Le gardien, un petit bonhomme rondouillard, une casquette rivée sur la tête, m'ouvrit la chambre de Leila. Il se rappelait l'avoir vue revenir, pas repartir. Mais il s'était absenté vers 18 heures.

— Elle a fait rien de mal ?

— Non, rien. Elle a disparu.

— Merde, il avait fait, en se grattant la tête. Une gentille fille, cette petite. Et polie. Pas comme certaines Françaises.

— Elle est française.

— C'est pas ce que je voulais dire, m'sieur.

Il se tut. Je l'avais vexé. Il resta devant la porte pendant que j'examinais la chambre. Il n'y avait rien à chercher. Juste avoir cette conviction que Leila ne s'était pas envolée pour Acapulco, comme ça, pour changer d'air. Le lit était fait. Au-dessus du lavabo, brosse à dents, dentifrice, produits de beauté. Dans le placard, ses affaires, rangées. Un sac de linge sale. Sur une table, des feuilles de papier, des cahiers, et des bouquins.

Celui que je cherchais était là. *Le Bar d'escale*, de Louis Brauquier. La première édition, de 1926, sur vergé pur Lafuma, édité par la revue *Le Feu*. Numéroté 36. Je le lui avais offert.

C'était la première fois que je me séparais d'un des livres qui étaient chez moi. Ils appartenaient autant à Manu et Ugo qu'à moi. Ils représentaient le trésor de notre adolescence. J'avais souvent rêvé qu'un jour, ils nous réunissent tous les trois. Le jour où Manu et Ugo m'auraient enfin pardonné d'être flic. Le jour où j'aurais admis qu'il était plus facile d'être flic que délinquant, et où j'aurais pu les embrasser comme des frères qu'on retrouve, les larmes aux yeux. Je savais que ce jour-là, je lirais ce poème de Brauquier qui s'achevait par ces vers :

Longtemps je t'ai cherchée
nuit de la nuit perdue.

Les poèmes de Brauquier, nous les avions découverts chez Antonin. *Eau douce pour navire*, *L'au-delà de Suez*, *Liberté des mers*. Nous avions dix-sept ans. Et à cette époque, le vieux bouquiniste se relevait mal d'une crise cardiaque. À tour de rôle, nous tenions la boutique. Pendant ce temps-là, on ne claquait pas notre fric aux flippers. Et en plus on pataugeait dans notre grande passion, les vieux bouquins. Les romans, les récits de voyage, les poèmes que j'ai lus ont une odeur particulière. Celle des caves, des sous-sols. Une odeur presque épicée, mélange de poussière et d'humidité. Vert-de-gris. Les livres d'aujourd'hui n'ont plus d'odeur. Même plus celle de l'imprimerie.

L'édition originale du *Bar d'escale*, je l'avais trouvée un matin, en vidant des cartons qu'Antonin n'avait jamais ouverts. J'étais parti avec. Je feuilletai le livre aux pages jaunies, le refermai et le mis dans ma poche. Je regardai le gardien.

— Excusez-moi pour tout à l'heure. Je suis énervé.

Il haussa les épaules. Du genre du type qui a l'habitude de se faire rembarrer.

— Vous la connaissiez ?

Je ne lui répondis pas, mais lui donnai ma carte. Au cas où.

J'avais ouvert la fenêtre et baissé le store. J'étais épuisé. Je rêvais d'une bière fraîche. Mais je devais avant tout faire un rapport sur la disparition de Leila et le transmettre au service des personnes disparues. Mouloud devrait ensuite signer la demande de recherche. Je l'avais appelé. Dans sa voix, je sentis l'accablement. Toute la misère du monde qui, en une seconde, vous rattrape pour ne plus vous lâcher. « On va la retrouver. » Je n'avais rien pu dire d'autre. Des mots qui ouvraient sur des abîmes. Je l'imaginais assis devant sa table, sans bouger. Les yeux ailleurs.

À l'image de Mouloud se superposa celle d'Honorine. Ce matin, dans sa cuisine. J'y étais allé à sept heures. Pour lui dire, pour Ugo. Je ne voulais pas qu'elle l'apprenne par le journal. Les services d'Auch avaient été très discrets sur Ugo. Un court entrefilet dans les faits divers. Un dangereux malfaiteur, recherché par la police de plusieurs pays, a été abattu hier alors qu'il s'apprêtait à faire feu sur les policiers. Suivaient quelques éléments nécrologiques, mais nulle part il n'était dit pourquoi Ugo était dangereux, ni quels crimes il avait pu commettre.

La mort de Zucca faisait les gros titres. Les journalistes s'en tenaient tous à la même version. Zucca n'était pas un truand aussi célèbre que le fut Mémé Guérini, ou, plus récemment, Gaëtan Zampa, Jacky Le Mat ou Francis le Belge. Il n'avait peut-être même jamais tué personne, ou alors une ou deux fois, pour faire ses preuves. Fils d'avocat, avocat lui-même, c'était un gestionnaire. Depuis le suicide de Zampa en prison, il gérait l'empire de la mafia marseillaise. Sans se mêler des querelles de clans ou d'hommes.

Du coup, chacun s'interrogeait sur cette exécution qui pouvait relancer une guerre des gangs. Marseille n'avait vraiment pas besoin de cela en ce moment. La crise économique de la ville était déjà suffisamment lourde à assumer. La SNCM, la compagnie qui assure la liaison ferry avec la Corse, menaçait d'aller implanter son activité ailleurs. On parlait de Toulon ou de La

Ciotat, un ancien chantier naval à 40 kilomètres de Marseille. Depuis des mois, un conflit opposait la compagnie aux dockers, à propos de leur statut. Les dockers avaient le monopole d'embauche sur les quais, depuis 1947. Ces modalités étaient aujourd'hui remises en cause.

La ville était suspendue à ce bras de fer. Sur tous les autres ports, ils avaient cédé. Quitte à faire crever la ville, pour les dockers marseillais c'était une question d'honneur. L'honneur, ici, c'est capital. « T'as pas d'honneur » était la plus grave insulte. On pouvait tuer pour l'honneur. L'amant de votre femme, celui qui a « sali » votre mère, ou le mec qui a fait du tort à votre sœur.

Ugo était revenu pour ça. Pour l'honneur. Celui de Manu. Celui de Lole. L'honneur de notre jeunesse, de l'amitié partagée. Et des souvenirs.

— Il n'aurait pas dû revenir.

Honorine avait levé les yeux de sa tasse à café. Dans son regard, je vis que ce n'était pas cela qui la torturait. C'était ce piège, qui se refermait sur moi. Est-ce que j'avais de l'honneur ? J'étais le dernier. Celui qui héritait de tous les souvenirs. Est-ce qu'un flic pouvait déborder la loi ? Se satisfaire de la justice ? Et qui s'en souciait, de la justice, quand il ne s'agissait que de malfrats ? Personne. Il y avait cela dans les yeux d'Honorine. Et elle se répondait oui, oui, et encore oui, et enfin non, à ses questions. Et elle me voyait allongé dans le caniveau. Cinq balles dans le dos, comme pour Manu. Ou trois, comme pour Ugo. Trois ou cinq, qu'est-ce que ça changeait. Une suffisait pour aller lécher la merde du caniveau. Et elle ne voulait pas,

Honorine. J'étais le dernier. L'honneur des survivants, c'est de survivre. De rester debout. Être en vie, c'était être le plus fort.

Je l'avais laissée devant sa tasse à café. Je l'avais regardée. Le visage qu'aurait pu avoir ma mère. Avec les rides de celle qui aurait perdu deux de ses fils dans une guerre qui ne la concernait pas. Elle avait tourné la tête. Vers la mer.

— Il aurait dû venir me voir, avait-elle dit.

Depuis sa création, je n'avais fait qu'une dizaine de fois l'aller-retour sur la ligne 1 du métro. Castelanne-La Rose. Des quartiers chics, où le centre de la ville s'était déplacé avec bars, restaurants, cinémas, au quartier nord où il n'y avait aucune raison d'aller traîner ses baskets si on n'y était pas obligé.

Depuis quelques jours, un groupe de jeunes beurs faisait du chahut sur le trajet. La sécurité du métro penchait pour la manière forte. Les Arabes, ils ne comprenaient que ça. Je connaissais le refrain. Sauf que cela n'avait jamais payé. Ni au métro. Ni à la SNCF. Après des passages à tabac, il y avait eu des représailles. Voie bloquée sur la ligne Marseille-Aix, après la gare de Septêmes-les-Vallons, il y a un an. Jets de pierres sur le métro à la station Frais-Vallon, il y a six mois.

J'avais donc proposé l'autre méthode. Celle qui consiste à établir un dialogue avec la bande. À ma manière. Les cow-boys du métro avaient rigolé. Mais, pour une fois, la direction ne leur céda pas et me donna carte blanche.

Pérol et Cerutti m'accompagnaient. Il était 18 heures. La balade pouvait commencer. Une heure avant j'avais fait un saut jusqu'au garage où Driss travaillait. Je voulais qu'on parle de Leila.

Il finissait sa journée. Je l'attendis en discutant avec son patron. Un chaud partisan des contrats d'apprentissage. Surtout quand les apprentis bossent comme des ouvriers. Et Driss ne lésinait pas sur le boulot. Il se shootait au cambouis. Tous les soirs il en avait sa dose. C'était moins malsain que du crack, ou de l'héro. C'est ce qu'on disait. Et je le pensais. Mais ça n'en bouffait pas moins la tête. Driss devait toujours faire ses preuves. Et n'oublie pas de dire oui monsieur, non monsieur. Et de fermer sa gueule en permanence, parce que, merde, quand même, c'était qu'un sale bougnoule. Pour le moment, il tenait bon.

Je l'avais entraîné au bar du coin. Le Disque bleu. Un bar crade, comme le patron. À sa gueule, on devinait que les Arabes, ici, avaient le droit de faire le loto, le PMU, et de consommer debout. Même en me donnant une vague dégaine à la Gary Cooper, pour avoir deux demis à une table, il me fallut presque lui montrer ma carte de flic. J'étais encore trop bronzé pour certains.

— T'as arrêté l'entraînement ? je dis, en revenant avec les bières.

Sur mes conseils, il s'était inscrit dans une salle de boxe, à Saint-Louis. Georges Mavros, un vieux copain, la dirigeait. Il fut un jeune espoir, après quelques combats gagnés. Puis il dut choisir entre la femme qu'il aimait et la boxe. Il se maria. Il devint camionneur. Quand il apprit que sa femme couchait partout dès qu'il prenait la route, il était trop tard pour être champion. Il plaqua sa femme et son boulot, vendit ce qu'il avait et ouvrit cette salle.

Driss avait toutes les qualités pour ce sport. L'intelligence. Et la passion. Il pourrait être aussi bon que Stéphane Haccoun ou Akim Tafer, ses idoles. Mavros ferait de lui un champion. Je le croyais. À condition qu'il tienne bon, là encore.

— Trop de taf. Des heur's, qu'il a fallu s'taper ! Et l'taulier, c'est un vrai blob. Y fait qu'd'me coller au cul.

— T'as pas téléphoné. Mavros, il t'a attendu.

— Z'avez des nouvelles, pour Leila ?

— C'est pour ça que je suis venu te voir. Tu sais si elle a un petit copain ?

Il m'avait regardé comme si je me foutais de sa gueule.

— Z'êtes pas son mec ?

— Je suis son ami. Comme avec toi.

— J'croyais que vous la tiriez, moi.

Je faillis lui donner une claque. Il y a des mots qui me font vomir. Celui-là particulièrement. Le plaisir passe par le respect. Ça commence par les mots. J'ai toujours pensé ça.

— Je tire pas les femmes. Je les aime… Enfin, j'essaie …

— Et Leila ?

— T'en aurais pensé quoi, toi ?

— Moi, j'vous aime bien.

— Laisse tomber. Des braves mecs, des jeunes comme toi, ça manque pas.

— Qu'est-ce ça veut dire ?

— Que je sais pas où elle est passée, Driss. Merde ! Quoi ! C'est pas parce que je l'ai pas baisée que je l'aime pas !

— On va la retrouver.

— C'est ce que j'ai dit à ton père. Tu vois, ça m'a juste mené à toi.

— Elle a pas de p'tit ami. Y a juste nous. Moi, Kader, et le père. La fac. Ses copines. Et vous. Elle 'rrête pas d'parler d'vous. Trouvez-la. C'est votre boulot !

Il était parti après m'avoir laissé le téléphone de deux copines de Leila, Jasmine et Karine, que j'avais rencontrées une fois, et de Kader à Paris. Mais on ne voyait pas pourquoi elle serait allée à Paris sans rien lui dire. Même si Kader avait des merdes, elle lui aurait dit. De toute façon, Kader il était net. Que même c'était lui qui faisait tourner l'épicerie.

Ils étaient huit. Seize-dix-sept ans. Ils montèrent au Vieux-Port. On les attendait à la station Saint-Charles-Gare SNCF. Ils étaient regroupés à l'avant d'une rame. Debout sur les sièges, ils frappaient sur les parois et les vitres comme sur des tam-tam, au rythme d'un radio K7. À fond la musique. Rap, bien sûr. IAM, je connaissais. Un groupe marseillais vraiment top. On l'entendait souvent sur Radio Grenouille, l'équivalent de Nova à Paris. Elle programmait tous les groupes rap et ragga de Marseille et du Sud. IAM, Fabulous Trobadors, Bouducon, Hypnotik, Black Lions. Et Massilia Sound System, né au milieu des Ultras, dans le virage sud du stade vélodrome. Le groupe avait filé la fièvre ragga hip hop aux supporters de l'OM, puis à la ville.

À Marseille, on tchatche. Le rap n'est rien d'autre. De la tchatche, tant et plus. Les cousins de Jamaïque s'étaient trouvé ici des frères. Et ça causait comme au bar. De Paris, de l'État centraliste, des banlieues pouraves, des bus de nuit. La vie, leurs problèmes. Le monde, vu de Marseille.

On survit d'un rythme de rap,
voilà pourquoi ça frappe.
Ils veulent le pouvoir et le pognon, à Paris.
J'ai 22 ans, beaucoup de choses à faire.
Mais jamais de la vie je n'ai trahi mes frères.
Je vous rappelle encore avant de virer de là,
Qu'on ne me traitera pas
de soumis à ce putain d'État.

Et ça frappait fort, dans le compartiment. Tam tam de l'Afrique, du Bronx, et de la planète Mars. Le rap, ce n'était pas ma musique. Mais IAM, je devais le reconnaître, leurs textes cartonnaient juste. Beau et bien. En plus, ils avaient le *groove*, comme on dit. Il suffisait de regarder les deux jeunes qui dansaient devant moi.

Les voyageurs avaient reflué à l'arrière de la rame. Ils baissaient la tête, comme s'ils ne voyaient, n'entendaient rien. Ils n'en pensaient pas moins. Mais à quoi bon ouvrir sa gueule ? Pour prendre un coup de couteau ? À la station, les gens hésitèrent à entrer dans la rame. Ils se serrèrent sur l'arrière. Avec des soupirs. Des grincements de dents. Des rêves de bastonnades. Et des désirs de meurtres.

Cerutti se glissa parmi eux. Il assurait la liaison radio avec le Q. G. Si ça tournait mal. Pérol s'installa, là où ça faisait le vide. J'allai m'asseoir au milieu de la bande, et ouvris un journal.

— Pourriez pas faire un peu moins de bordel ?

Il y eut un moment d'hésitation.

— Qu'est-ce tu fais chier, mec ! lança l'un d'eux, en se laissant tomber sur le siège.

— P't'être qu'on t'gêne, dit un autre en s'asseyant à côté de moi.

— Ouais, c'est ça. Comment t'as deviné ?

Je regardai mon voisin dans les yeux. Les autres arrêtèrent de taper sur les parois. Sûr que ça devenait grave. Ils se serrèrent autour de moi.

— Qu'est-ce tu nous biffes, mec ? T'aimes pas quoi ? Le rap ? Nos gueules ?

— J'aime pas que vous me fassiez chier.

— T'as vu combien on est ? On t'emmerde, mec.

— Ouais, j'ai bien vu. À huit, vous avez de la gueule. Seuls, vous n'avez pas de couilles.

— T'en as, toi ?

— Si j'étais pas là, t'aurais pas à me le demander.

Derrière, ça levait la tête. Ben, il a raison. Quoi, on va pas se laisser faire la loi. Le courage des mots. Réformés-Canebière. La rame se remplit encore. Je sentais des gens derrière moi. Cerutti et Pérol avaient dû se rapprocher.

Les jeunes étaient un peu désemparés. Je devinais qu'il n'y avait pas de chef. Ils déconnaient, comme ça. Rien que pour emmerder. Une provocation. Gratuite. Mais qui pouvait leur coûter la peau. Une balle était si vite perdue. Je rouvris le journal. Celui qui avait le radio K7 relança un peu la sauce. Un autre se remit à taper sur la vitre. Mais doucement. Juste pour voir. Les autres observaient, avec des clins d'œil, des sourires entendus, des petits coups de coude. De vrais minots.

Celui qui me faisait face mit presque ses baskets sur mon journal.

— Tu descends où toi ?

— Qu'est-ce ça te fout ?

— Ben, je serais mieux si t'étais pas là.

Dans mon dos, j'imaginais des centaines d'yeux braqués sur nous. J'avais l'impression d'être un animateur avec sa classe d'ados. Cinq-Avenues-Longchamp. Les Chartreux. Saint-Just. Les stations se succédaient. Les mômes ne mouftaient plus. Ils ruminaient. Ils attendaient. La rame commençait à se vider. Malpassé. Le vide derrière moi.

— Si on te casse la gueule, y a personne qui bouge, dit l'un d'eux en se levant.

— Y sont même pas dix. Vu qu'y a une meuf et deux vieux.

— Mais tu vas rien faire.

— Ah oui ? Qu'est-ce y t'fait dir'ça ?

— T'as rien que de la gueule.

Frais-Vallon. Des HLM, pas d'horizon.

— Aïoli ! cria l'un d'eux.

Ils descendirent en courant. Je bondis et chopai le dernier par le bras. Je le lui tordis dans le dos. Avec fermeté, mais sans violence. Il se débattit. Les passagers s'empressaient de quitter le quai.

— T'es seul maintenant.

— Putain, mais lâche-moi ! Il prit à témoin Cerutti et Pérol, qui s'éloignaient lentement. Il est con, c'mec. Y m'cherche à m'casser la gueule.

Cerutti et Pérol ne le regardèrent pas. Le quai était désert. Je sentais la colère chez le môme. Et la peur, aussi.

— Personne va te défendre. T'es un Arabe. Je pourrais te faire la peau, là, sur le quai. Personne bougera. Tu comprends ça ? Alors, t'arrêtes de déconner, tes copains et toi. Sinon, un jour vous allez tomber sur des mecs qui vous rateront pas. Tu comprends ça ?

— Oui, ça va. Putain, ça fait mal !

— Fais passer le message. Si je te retrouve, je te le pète, ton bras !

Quand je refis surface, il faisait déjà nuit. Presque dix heures. J'étais lessivé. Trop vidé pour rentrer chez moi. J'avais besoin de traîner. De voir du monde. De sentir palpiter quelque chose qui ressemble à la vie.

J'entrai chez O'Stop. Un restaurant de nuit, place de l'Opéra. Mélomanes et prostituées s'y côtoyaient amicalement. Je savais qui j'avais envie de voir. Et elle était là. Marie-Lou, une jeune pute antillaise. Elle avait débarqué dans le quartier il y a trois mois. Elle était superbe. Genre Diana Ross, à vingt-deux piges. Ce soir, elle portait un jeans noir et un débardeur gris, assez échancré. Ses cheveux étaient tirés en arrière et attachés avec un ruban noir. Rien n'était vulgaire en elle, même pas sa manière d'être assise. Elle était presque hautaine. Rares étaient les hommes qui osaient l'aborder sans qu'elle ne l'ait décidé, d'un regard.

Marie-Lou ne racolait pas. Elle bossait sur Minitel, et, comme elle était sélective, elle filait ses rencards ici. Histoire de vérifier le look du client. Marie-Lou, elle m'excitait vraiment beaucoup. Je l'avais suivie quelques fois depuis. On aimait bien se retrouver. Pour elle, j'étais un client idéal. Pour moi, c'était plus simple que d'aimer. Et ça m'allait bien pour le moment.

O'Stop était bourré, comme toujours. Beaucoup de prostituées, qui faisaient une pause whisky-coca-pipi. Certaines, les plus âgées, connaissaient Verdi en général et Pavarotti en particulier. Je distribuai quelques clins d'œil, sourires, et je m'assis sur un tabouret, devant le comptoir. À côté de Marie-Lou. Elle était pensive, le regard perdu dans son verre vide.

— Ça marche les affaires ?

— Tiens, salut. Tu me paies un verre ?

Margharita pour elle, whisky pour moi. Une nuit qui commençait bien.

— J'avais un plan. Mais ça m'a pas inspirée.

— Il ressemblait à quoi ?

— À un flic !

Elle éclata de rire, puis me fit un bisou sur la joue. Une décharge électrique, avec tilt dans mon slip.

Quand j'aperçus Molines, nous en étions à la troisième tournée. Nous avions échangé six ou sept phrases. Aussi brèves que banales. Nous buvions avec application. C'était ce qui me convenait le mieux. Molines était de l'équipe d'Auch. Il faisait le pied de grue sur le trottoir devant O'Stop. Il semblait s'ennuyer ferme. Je quittai mon tabouret en commandant une nouvelle tournée.

Je lui fis l'effet d'un pantin sortant de sa boîte. Il sursauta. Visiblement, ma présence ne le transportait pas de joie.

— Qu'est-ce que tu fous là ?

— Un je bois, deux je bois, trois je bois, quatre je mange. À partir de cinq, j'ai rien décidé. Et toi ?

— Service.

Pas causant, le cow-boy. Il s'éloigna de quelques

pas. Je ne devais pas mériter sa compagnie. En le suivant des yeux, je les vis. Le reste de l'équipe, à des angles de rues différents. Besquet, Paoli au coin de la rue Saint-Saëns et de la rue Molière. Sandoz, Mériel, que Molines venait de rejoindre, rue Beauvau. Cayrol faisait les cent pas devant l'Opéra. Les autres échappaient à mon regard. Sans doute dans des voitures stationnées autour de la place.

Venant de la rue Paradis, une Jaguar gris métallisé s'engagea dans la rue Saint-Saëns. Besquet porta son talkie-walkie à sa bouche. Paoli et lui quittèrent leur poste. Ils traversèrent la place, sans se soucier de Cayrol, et remontèrent lentement la rue Corneille.

D'une des voitures sortit Morvan. Il traversa la place, puis la rue Corneille, comme s'il allait entrer à La Commanderie, une boîte de nuit où se côtoyaient journalistes, flics, avocats et truands. Il passa devant un taxi garé en double file juste devant La Commanderie. Une Renault 21 blanche. Son voyant était sur « occupé ». Au passage, Morvan frappa de la main sur la portière. Négligemment. Puis il continua son chemin, s'arrêta devant un sex-shop et alluma une cigarette. Un coup se préparait. Je ne savais pas quoi. Mais j'étais le seul à le voir.

La Jaguar tourna, et se gara derrière le taxi. Je vis Sandoz et Mériel s'avancer. Cayrol ensuite. Ça se resserrait. Un homme descendit de la Jaguar. Un Arabe, balèze, en costume, cravate, la veste déboutonnée. Un garde du corps. Il regarda à droite, à gauche, puis ouvrit la portière arrière de la voiture. Un homme sortit. Al Dakhil. Merde ! *L'Immigré*. Le chef de la pègre arabe. Je ne l'avais vu qu'une seule fois. Lors d'une garde à vue. Mais Auch n'avait rien pu retenir contre lui. Son garde du corps ferma la portière et se dirigea vers l'entrée de La Commanderie.

Al Dakhil boutonna sa veste, se pencha pour dire un mot au chauffeur. Deux hommes sortirent du taxi. Le premier, une vingtaine d'années, petit, en jeans et veste en toile. L'autre, de taille moyenne, guère plus âgé, les cheveux presque ras. Pantalon, blouson de toile noire. Je notai le numéro du taxi au moment où il démarra : 675 JLT 13. Un réflexe. La fusillade commença. Le plus petit fit feu le premier. Sur le garde du corps. Puis il pivota et tira sur le chauffeur qui sortait de la voiture. L'autre vida son chargeur sur Al Dakhil.

Il n'y eut pas de sommations. Morvan abattit crâne rasé, avant qu'il ne se retourne. L'autre, tête baissée, son arme à la main, se faufila entre deux voitures. Après un coup d'œil derrière lui, rapide, trop rapide, il recula. Sandoz et Mériel tirèrent en même temps. Des cris s'élevèrent. Il y eut soudain un attroupement. Les hommes d'Auch. Les curieux.

J'entendis les sirènes de police. Le taxi avait disparu derrière l'Opéra, par la rue Francis Davso, à gauche. Auch sortit de La Commanderie, les mains dans les poches de sa veste. Dans mon dos je sentis les seins chauds de Marie-Lou.

— C'qui s'passe ?

— Rien de beau.

C'était le moins que je puisse dire. La guerre était ouverte. Mais Zucca, c'est Ugo qui l'avait descendu. Et ce que je venais de voir me laissait sur le cul. Tout semblait avoir été mis en scène. Jusqu'au moindre détail.

— Un règlement de comptes.

— Merde ! Ça va pas arranger mes affaires !

J'avais grand besoin d'un remontant. Pas de me perdre dans les questions. Pas maintenant. J'avais envie de me vider. D'oublier. Les flics, les truands. Manu, Ugo, Lole. Leila. Et moi, en premier. De me dissoudre dans la nuit, si c'était possible. De l'alcool, et Marie-Lou, voilà ce qu'il me fallait. Vite.

— Mets ton compteur sur « occupé ». Je t'invite à dîner.

4

Où un cognac n'est pas ce qui peut faire le plus de mal.

Je sursautai. Il y avait eu un bruit sourd. Puis j'entendis un enfant pleurer. À l'étage au-dessus. Je ne savais plus où j'étais. Un instant. J'avais la bouche pâteuse, la tête lourde. J'étais allongé sur le lit tout habillé. Le lit de Lole. Je me souvenais. En quittant Marie-Lou au petit matin, j'étais venu ici. Et j'avais forcé la porte.

Nous n'avions aucune raison de traîner plus longtemps place de l'Opéra. Le quartier était bouclé. Bientôt, il grouillerait de flics en tous genres. Trop de monde que je ne souhaitais pas rencontrer. J'avais pris Marie-Lou par le bras et l'avais entraînée de l'autre côté du cours Jean Ballard, place Thiars. Chez Mario. Une assiette de mozzarella et tomates, avec câpres, anchois et olives noires. Un plat de spaghetti aux clovisses. Un tiramissu. Le tout arrosé d'un Bandol du domaine de Pibarnon.

On parla de tout et de rien. Elle plus que moi. Avec langueur. Détachant ses mots comme si elle épluchait une pêche. Je l'écoutais, mais seulement des yeux, me laissant emporter par son sourire, le dessin de ses lèvres, les fossettes de ses joues, la mobilité étonnante de son visage. La regarder, et sentir son genou contre le mien, ne permettait pas de penser.

— Quel concert ? je finis par dire.
— Mais où qu'tu vis ? Le concert. À la Friche. Avec Massilia.
La Friche, c'est l'ancienne manufacture de tabac. Cent vingt mille mètres carrés de locaux, derrière la gare Saint-Charles. Cela ressemble aux squats d'artistes de Berlin, et au PSI de Queen à New York. On y avait installé des ateliers de création, des studios de répétition, un journal, *Taktik*, Radio Grenouille, un restaurant, une salle de concert.
— Cinq mille, qu'on était. Gé-nial ! Ces mecs-là, y savent te foutre le feu.
— Tu comprends le provençal, toi ?
La moitié des chansons de Massilia était en patois. Du provençal maritime. Du français de Marseille, comme ils disent à Paris. *Parlam de realitat dei cavas dau quotidian*, chantait Massilia.
— T'en as rien à foutre. De comprendre, ou pas. On est des galériens, pas des demeurés. Y a qu'ça à comprendre.
Elle me regarda, avec curiosité. Peut-être bien que j'étais un demeuré. J'étais de plus en plus déconnecté de la réalité. Je traversais Marseille, mais sans plus rien en voir. Je ne connaissais plus que sa violence sourde, et son racisme à fleur de peau. J'oublais que la vie, ce n'était pas seulement ça. Que dans cette ville, malgré tout, on aimait vivre, faire la fête. Que chaque jour le bonheur était une idée neuve, même si au bout de la nuit ça se soldait par un contrôle d'identité musclé.
On avait fini de manger, vidé la bouteille de Bandol, et avalé deux cafés.

— On y va voir un peu ?

C'était l'expression consacrée. Voir un peu, c'est chercher le bon plan pour la nuit. Je l'avais laissée me guider. Nous avions commencé par le Trolleybus, quai de Rive-Neuve. Un temple dont j'ignorais tout de l'existence. Ce qui fit sourire Marie-Lou.

— Mais tu fais quoi de tes nuits ?

— Je pêche des daurades.

Elle éclata de rire. À Marseille, une daurade, c'est aussi une belle fille. L'ancien arsenal des galères s'ouvrait sur un couloir d'écrans télé. Au bout, sous les voûtes, des salles rap, techno, rock, reggae. Tequila pour commencer, et reggae pour la soif. Depuis quand n'avais-je plus dansé ? Un siècle. Mille ans. On changea de lieu, de bar. D'heure en heure. Le Passeport, Le Maybe blues, le Pêle-Mêle. Aller voir ailleurs, toujours, comme en Espagne.

Nous avions atterri au Pourquoi, rue Fortia. Une boîte antillaise. Nous étions pas mal éméchés en y arrivant. Raison de plus pour continuer. Tequila. Et salsa ! Nos corps trouvèrent très vite leur accord. Collé-serré.

C'est Zina qui m'apprit à danser la salsa. Elle fut ma petite amie six mois, avant que je ne parte à l'armée. Puis je l'avais retrouvée à Paris, ma première affectation chez les flics. Nous alternions les nuits à la Chapelle, rue des Lombards et à l'Escale, rue Monsieur-le-Prince. J'aimais la retrouver, Zina. Elle se foutait que je sois flic. Nous étions devenus de vieux amis. Elle me donnait régulièrement des nouvelles « d'en bas », de Manu, de Lole. Quelques fois d'Ugo, quand il leur envoyait un signe de vie.

Dans mes bras, Marie-Lou était de plus en plus

légère. Sa transpiration libérait les épices de son corps. Musc, cannelle, poivre. Basilic aussi, comme Lole. J'aimais les corps épicés. Plus je bandais et plus je sentais son ventre dur se frotter contre moi. Nous savions que nous finirions au lit, et nous voulions que cela soit le plus tard possible. Quand le désir serait insupportable. Parce que après, la réalité nous rattraperait. Je redeviendrais un flic et elle une prostituée.

Je m'étais réveillé vers les six heures. Le dos cuivré de Marie-Lou me rappela Lole. Je bus la moitié d'une bouteille de Badoit, m'habillai et sortis. C'est dans la rue que ça me tomba dessus. La prise de tête. À nouveau, ce sentiment d'insatisfaction qui me harcelait depuis que Rosa était partie. Les femmes avec lesquelles j'ai vécu, je les avais aimées. Toutes. Et avec passion. Elles aussi m'avaient aimé. Mais certainement avec plus de vérité. Elles m'avaient donné du temps de leur vie. Le temps est une chose essentielle dans la vie d'une femme. Il est réel, pour elles. Relatif pour les hommes. Elles m'avaient donné, oui, beaucoup. Et moi, que leur avais-je offert ? De la tendresse. Du plaisir. Du bonheur immédiat. Je n'étais pas mauvais dans ces domaines. Mais après ?

C'est dans l'après de l'amour que, chez moi, tout se déglinguait. Que je ne donnais plus. Que je ne savais plus recevoir. Après l'amour, je repassais de l'autre côté de ma frontière. Dans ce territoire où j'ai mes règles, mes lois, mes codes. Des idées fixes à la con. Où je me perds. Où je perdais celles qui s'y aventuraient.

Leila, j'aurais pu la conduire jusque-là. Dans ces déserts. Tristesse, colère, cris, larmes, mépris, c'est tout ce que l'on trouvait au bout du chemin. Et moi absent. Fuyard. Lâche. Avec cette peur de revenir à la frontière, et d'aller voir comment c'est, de l'autre côté. Peut-être que, comme me l'avait dit un soir Rosa, je n'aimais pas la vie.

D'avoir couché cette nuit avec Marie-Lou, d'avoir payé pour baiser, m'avait appris au moins une chose. En amour, j'étais paumé. Les femmes aimées auraient pu être les femmes de ma vie. De la première jusqu'à la dernière. Mais je ne l'avais pas voulu. Du coup, j'étais en rogne. Contre Marie-Lou. Contre moi. Contre les femmes, et contre le monde entier.

Marie-Lou habitait un petit studio en haut de la rue d'Aubagne, juste au-dessus du petit pont métallique qui enjambe le cours Lieutaud et conduit au cours Julien, l'un des nouveaux quartiers branchés de Marseille. C'est là que, titubant, nous avions pris un dernier verre, au Dégust'Mars C'et Yé, une autre boîte raï, ragga, reggae. Marie-Lou m'expliqua que Bra, le patron, était un ancien camé. Il avait fait de la taule. Cette boîte, c'était son rêve. « On est chez nous », était-il écrit en grosses lettres, au milieu de centaines de graffitis. Le Dégust' se voulait un lieu « où la vie coule ». Ce qui coulait, c'était la tequila. Un dernier verre, pour la route. Juste avant l'amour. Les yeux dans les yeux, et nos corps électriques.

Descendre la rue d'Aubagne, à n'importe quelle heure du jour, était un voyage. Une succession de commerces, de restaurants, comme autant d'escales. Italie, Grèce, Turquie, Liban, Madagascar, La Réunion, Thaïlande, Viêt-nam, Afrique, Maroc, Tunisie, Algérie. Avec en prime, Arax, la meilleure boutique de loukoums.

Je n'avais pas le courage d'aller récupérer ma voiture à l'Hôtel de Police, de rentrer chez moi. Même pas envie d'aller à la pêche. Rue Longue-des-Capucins, le marché était en place. Odeurs de coriandre, de cumin, de curry mêlées à celle de la menthe. L'Orient. J'avais pris à droite, par la Halle Delacroix. J'étais entré dans un bistro et j'avais commandé un double café serré. Et des tartines.

Les journaux « ouvraient » sur la fusillade de l'Opéra. Depuis l'exécution de Zucca, expliquaient les journalistes, la police filait le train à Al Dakhil. Tous s'attendaient à des règlements de compte. 1-0, les choses ne pouvaient en rester là, évidemment. Hier soir, en agissant vite, et froidement, la brigade du commissaire Auch avait évité que la place de l'Opéra ne se transforme en véritable champ de bataille. Ni passants blessés, ni même une vitre brisée. Cinq truands morts. Un beau coup. Et chacun d'attendre la suite.

Je revis Morvan traversant la place, et frappant du plat de la main le taxi en stationnement. Je revis Auch sortir de La Commanderie, un sourire aux lèvres. Les mains dans les poches, oui. Un sourire aux lèvres, ça, peut-être l'avais-je inventé. Je ne savais plus.

Les deux truands qui avaient ouvert le feu, Jean-Luc Trani et Pierre Bogho, étaient recherchés par la P. J. Mais ce n'étaient que deux minables petites frappes. Un peu souteneurs, un peu casseurs. Quelques braquages, mais rien qui les place en tête du hit-parade de la voyoucratie. Qu'ils s'attaquent à si gros laissait plus d'un perplexe. Qui avait commandité ce commando ? C'était la bonne question. Mais Auch ne fit aucun commentaire. Il avait cette habitude, en dire le moins possible.

Après un deuxième double noir, je ne me sentis guère mieux. J'avais une sacrée gueule de bois. Mais je me forçai à bouger. Je traversai la Canebière, remontai le cours Belzunce, puis la rue Colbert. Avenue de la République, je pris la Montée des Folies-Bergère, pour couper à travers le Panier. Rue de Lorette, rue du Panier, rue des Pistoles. L'instant d'après, mon passe dans les mains, je trifouillai la serrure de chez Lole. Une mauvaise serrure. Elle ne me résista pas longtemps. Moi non plus. Dans la chambre, je m'étais laissé tomber sur le lit. Épuisé. La tête bourrée d'idées noires. Ne pas penser. Dormir.

Je m'étais rendormi. J'étais en nage. Derrière les persiennes, je sentais la chaleur, lourde et épaisse. Deux heures vingt déjà. On était samedi. Pérol était de permanence jusqu'à demain soir. Les week-ends, ça ne m'arrivait qu'une fois par mois. Avec Pérol, je pouvais dormir sur mes deux oreilles. C'était un flic tranquille. Et en cas de merde, il était capable de me trouver n'importe où dans Marseille. J'étais plus inquiet quand Cerutti me remplaçait. Il était jeune. Il rêvait d'en découdre. Il avait encore tout à apprendre. Il devenait urgent que je me remue. Demain, comme tous les dimanches quand je n'étais pas de service, Honorine venait manger. Au menu, du poisson, toujours. Et le poisson, c'est la règle, il fallait le pêcher.

La douche, froide, ne me rafraîchit pas les idées. J'errai nu dans l'appartement. L'appartement de Lole. Je ne savais toujours pas pourquoi j'étais venu ici. Lole fut notre pôle d'attraction à Ugo, Manu et moi. Pas seulement pour sa beauté. Elle ne devint vraiment belle que tard. Adolescente, elle était maigre, peu formée. Au contraire de Zina, de Kali, dont la sensualité était immédiate.

Lole, c'est notre désir qui la rendit belle. Ce désir qu'elle avait lu en nous. Nous, c'est ce qu'il y avait au fond de ses yeux qui nous avait attirés. Ce nulle part lointain d'où elle arrivait et vers où elle semblait aller. Une Rom. Une voyageuse. Elle traversait l'espace, et le temps semblait ne pas l'atteindre. C'est elle qui donnait. Les amants qu'elle eut, entre Ugo et Manu, elle les choisit. Comme un homme. Par là, elle était inaccessible. Tendre la main vers elle, c'était comme vouloir étreindre un fantôme. Il ne restait au bout des doigts que de la poussière d'éternité, cette poussière de la route d'un voyage sans fin. Je savais cela. Parce que j'avais croisé une fois sa route. Comme par accident.

Zina m'avait indiqué où joindre Lole à Madrid. Je l'avais appelée. Pour lui dire, pour Manu. Et puis de rentrer. Même si nous évitions de nous voir avec Manu, il y a des liens qui ne se rompent pas. Ceux de l'amitié. Plus forts, plus vrais que les liens familiaux. Il me revenait d'annoncer à Lole la mort de Manu. Je n'aurais laissé cette chose-là à personne. Surtout pas à un flic.

J'étais allé la chercher à l'aéroport, puis je l'avais conduite à la morgue. Pour le voir. Une dernière fois. Manu, il n'avait plus que nous pour l'accompagner. Je veux dire, qui l'aimions. Trois de ses frères vinrent au cimetière. Sans leur femme, ni leurs enfants. Manu mort, c'était pour eux un soulagement. Ils avaient honte. Nous ne nous étions pas adressé la parole.

Après leur départ, Lole et moi étions restés devant la tombe. Sans larmes. Mais la gorge nouée. C'était Manu qui s'en allait et, avec lui, une partie de notre jeunesse. En sortant du cimetière, nous avions pris un verre. Cognac. Deux, trois, sans parler. Dans la fumée des cigarettes.

— Tu veux manger ?

Je voulais rompre le silence. Elle haussa les épaules et fit signe au garçon de nous resservir.

— Après celui-là, on va rentrer, dit-elle en cherchant dans mes yeux une approbation.

Il faisait nuit. Après la pluie des derniers jours, le mistral soufflait, glacial. Je l'avais raccompagnée jusqu'à la petite maison que Manu louait à l'Estaque. Je n'y étais venu qu'une fois. Il y avait presque trois ans. Manu et moi avions eu une discussion orageuse. Il trempait dans un trafic de voitures volées pour l'Algérie. Le réseau allait tomber, et il serait pris dans les filets. J'étais venu l'avertir. Lui dire de décrocher. Nous buvions le pastis dans le petit jardin. Il avait ri.

— Tu fais chier, Fabio ! Te mêle pas de ça.

— J'ai fait l'effort de venir, Manu.

Lole nous regardait sans parler. Elle buvait à petites gorgées, en tirant lentement sur sa cigarette.

— Finis ton verre, et tire-toi. Marre d'entendre tes conneries. OK.

J'avais fini mon verre. Je m'étais levé. Il avait son sourire cynique des mauvais jours. Celui que je lui avais découvert lors du braquage foireux de la pharmacie. Et que je n'avais jamais oublié. Et, au fond des yeux, ce désespoir qui n'était qu'à lui. Comme une folie qui répondrait de tout. Un regard à la Artaud, auquel il ressemblait de plus en plus depuis qu'il avait coupé ses moustaches.

— Il y a longtemps, je t'ai traité d'Espingoin. J'avais tort. T'es seulement un tocard.

Et avant qu'il ne réagisse, je lui avais balancé mon poing dans la gueule. Il avait valdingué dans un rosier minable. Je m'étais approché de lui, calme et froid :

— Relève-toi, tocard.

À peine debout, je lui avais enfoncé mon poing gauche dans l'estomac et le droit suivit sur son menton. Il repartit dans les roses. Lole avait éteint sa cigarette. Elle était venue vers moi :

— Fous le camp ! Et ne reviens jamais ici.

Ces mots, je ne les avais pas oubliés. Devant sa porte, j'avais laissé le moteur tourner. Lole me regarda, puis, sans un mot, descendit de la voiture. Je la suivis. Elle alla directement dans la salle de bains. J'entendis l'eau couler. Je me servis un whisky, puis j'allumai un feu dans la cheminée. Elle ressortit vêtue d'un peignoir jaune. Elle attrapa un verre et la bouteille de whisky, puis elle tira un matelas mousse devant la cheminée et s'assit devant le feu.

— Tu devrais prendre une douche, dit-elle sans se retourner. Te laver de la mort.

Nous étions restés des heures à boire. Dans le noir. Sans parler. À rajouter du bois dans le feu, et à mettre des disques. Paco de Lucia. Sabicas. Django. Puis Billie Holliday, l'intégrale. Lole s'était blottie contre moi. Son corps était chaud. Et elle tremblait.

On arrivait au bout de la nuit. À cette heure où les démons dansent. Le feu crépitait. Le corps de Lole, j'en rêvais depuis des années. Le plaisir au bout des doigts. Ses cris me glacèrent le sang. Des milliers de couteaux me poignardant le corps. Je me retournai vers le feu. J'allumai deux cigarettes et lui en tendis une.

— Ça va ? elle dit.

— On ne peut plus mal. Et toi ?

Je me levai, en enfilant mon pantalon. Je sentis son regard sur moi pendant que je m'habillais. Un instant, je la vis sourire. Un sourire las. Mais pas triste.

— C'est dégueulasse, je dis.

Elle se leva et s'approcha de moi. Nue, sans pudeur. Sa démarche était tendre. Elle posa sa main sur ma poitrine. Ses doigts étaient brûlants. J'eus le sentiment qu'elle me marquait. Pour la vie.

— Maintenant, qu'est-ce que tu vas faire ?

Je n'avais pas de réponse à sa question. Je n'avais pas *la* réponse à sa question.

— Ce qu'un flic peut faire.

— C'est tout ?

— C'est tout ce que je peux faire.

— Tu peux faire plus, quand tu veux. Comme me baiser.

— Tu as fait ça pour ça ?

Je ne vis pas arriver la claque. Elle avait frappé de tout son cœur.

— Je ne fais ni troc ni échange. Je ne fais pas de chantage. Je ne marchande rien. Je ne suis ni à prendre ni à laisser. Oui, tu peux le dire, c'est dé-gueu-lasse.

Elle ouvrit la porte. Ses yeux plantés dans les miens. Je me sentis un pauvre mec. Vraiment. J'avais honte de moi. J'eus une dernière vision de son corps. De sa beauté. Je sus tout ce que j'allais perdre quand la porte claquerait derrière moi.

— Fous le camp d'ici !
Elle m'avait chassé, pour la seconde fois.

J'étais assis sur le lit. Je feuilletais un livre de Christian Dotremont qui était au-dessus d'autres livres et brochures glissés sous le lit. *Grand hôtel des valises*. Je ne connaissais pas cet auteur.

Lole avait surligné au marqueur jaune des bouts de phrases, des poèmes.

À ta fenêtre il m'arrive de ne pas frapper
à ta voix de ne pas répondre
à ton geste de ne pas bouger
pour que nous n'ayons à faire
qu'à la mer qui s'est bloquée.

Je me sentis soudain intrus. Je reposai le livre, craintivement. Il fallait que je parte. Je jetai un dernier regard à la chambre, puis au salon. Je n'arrivais pas à me faire une idée. Tout était parfaitement en ordre, les cendriers propres, la cuisine rangée. Tout était là comme si Lole allait revenir d'une minute à l'autre. Et tout était comme si elle était partie pour toujours, enfin délestée de toute la nostalgie qui encombrait sa vie : livres, photos, bibelots, disques. Mais où était Lole ? Faute de pouvoir répondre, j'arrosai le basilic et la menthe. Avec tendresse. Pour l'amour des odeurs. Et de Lole.

Trois clefs étaient suspendues à un clou. Je les essayai. Les clefs de la porte, et de la boîte aux lettres, sans doute. Je fermai, et les mis dans ma poche.

Je passai devant la Vieille Charité, le chef-d'œuvre — inachevé — de Pierre Puget. Le vieil hospice avait hébergé les pestiférés du siècle dernier, les indigents du début du siècle, puis tous ceux que les Allemands avaient chassés de chez eux après l'ordre de destruction du quartier. Il en avait vu de la misère. Il était maintenant flambant neuf. Sublime dans ses lignes, que la pierre rose mettait en valeur. Les bâtiments accueillaient plusieurs musées, et la grande chapelle était devenue un lieu d'exposition. Il y avait une librairie, et même un salon de thé-restaurant. Tout ce que Marseille comptait d'intellectuels et d'artistes venait s'y montrer, presque aussi régulièrement que moi j'allais à la pêche.

Il y avait une exposition César, ce génie marseillais qui a fait fortune en faisant des compressions de tout et de n'importe quoi. Ça faisait rigoler les Marseillais. Moi ça me faisait gerber. Les touristes affluaient. Par cars entiers. Italiens, Espagnols, Anglais, Allemands. Et des Japonais, bien sûr. Autant d'insipidité et de mauvais goût dans un lieu chargé d'histoires douloureuses me semblait être le symbole de cette fin de siècle.

Marseille était gagnée par la connerie parisienne. Elle se rêvait capitale. Capitale du Sud. Oubliant que ce qui la rendait capitale, c'est qu'elle était un port. Le carrefour de tous les brassages humains. Depuis des siècles. Depuis que Protis avait posé le pied sur la grève. Et épousé la belle Gyptis, princesse ligure.

Djamel remontait la rue Rodillat. Il s'immobilisa. Surpris de tomber sur moi. Mais il ne pouvait plus rien faire d'autre que continuer dans ma direction. Espérant sans doute, mais sans y croire, que je ne le reconnaîtrais pas.

— Ça va, Djamel ?

— Oui, m'sieur, lâcha-t-il du bout des lèvres.

Il regarda à droite et à gauche. Je savais, c'était assez la honte que d'être vu en train de parler à un poulet. Je lui pris le bras.

— Viens, je t'offre un verre.

Du menton, je lui montrai le bar des Treize-Coins, un peu plus bas. Ma cantine. L'Hôtel de Police était à cinq cents mètres, en bas du passage des Treize-Coins, de l'autre côté de la rue Sainte-Françoise. J'étais le seul flic à y venir. Les autres avaient leurs habitudes plus bas, rue de l'Évêché ou place des Trois-Cantons, selon les affinités.

Malgré la chaleur, on s'installa à l'intérieur. À l'abri des regards. Ange, le patron, nous apporta deux demis.

— Alors, la mob ? Tu l'as mise à l'abri ?

— Oui, m'sieur. Comme vous m'l'avez dit. Il but une gorgée, me regarda à la dérobée. Écoute, m'sieur. Y m'ont déjà posé tout plein de questions. Faut que j'recommence ?

À mon tour d'être surpris.

— Qui ça ?

— T'es pas flic ?

— Je t'ai posé une question ?

— Les autres.

— Quels autres ?

— Ben, les autres. Ceux qui l'ont flingué, quoi. Que même c'est chaud. Y m'ont dit qu'y pouvaient m'embarquer, pour complicité de meurtre. À cause d'la mob. L'a vraiment flingué un type ?

Une bouffée de chaleur m'envahit. Donc ils savaient. Je bus en fermant les yeux. Je ne voulais pas que Djamel voie mon trouble. La sueur ruissela sur mon front, mes joues, et dans mon cou. Ils savaient. De me le redire, une nouvelle fois, me fit frissonner.

— C'était qui ce mec ?

J'ouvris les yeux. Je commandai une nouvelle bière. J'avais la bouche sèche. J'avais envie de lui raconter à Djamel : Manu, Ugo et moi. L'histoire de trois copains. Mais l'histoire, je pouvais la lui servir de n'importe quelle façon, il ne retiendrait que Manu et Ugo. Pas le flic. Le flic c'était tout ce qui le faisait gerber. L'injustice même, rien que d'exister.

Police machine matrice d'écervelés
mandatés par la justice
Sur laquelle je pisse

gueulait NTM, des rappeurs de Saint-Denis. Un hit, chez les quinze-dix-huit ans des banlieues, malgré le boycott de la plupart des radios. La haine du flic, ça les unissait les mômes. Faut dire qu'on ne les aidait pas à avoir une haute image de nous. J'étais payé pour le savoir. Et sur mon front, il n'était pas écrit : flic sympa. Je ne l'étais pas, d'ailleurs. Je croyais à la justice, à la loi, au droit. Ces choses-là. Que personne ne respectait, parce que nous, les premiers, on s'asseyait dessus.

— Un truand, j'ai dit.

Djamel se foutait de ma réponse. Un flic ne pouvait donner qu'une telle réponse. Il ne s'attendait pas à ce que je lui dise : « C'était un mec bien, et, en plus, c'était mon pote. » Mais peut-être bien que c'est ce que j'aurais dû lui répondre. Peut-être bien. Mais je n'en savais plus rien, de ce qu'il fallait répondre à des mômes comme lui, comme à tous ceux que je croisais dans les cités. Des fils d'immigrés, sans boulot, sans avenir, sans espoir.

Il leur suffisait d'ouvrir la télé aux infos pour apprendre qu'on avait baisé leur père, et qu'on s'apprêtait à les baiser eux encore mieux. Driss m'avait raconté qu'un de ses copains, Hassan, le jour où il avait touché son premier salaire, il s'était pointé à la banque. Il pétait de joie. Il se sentait enfin respectable, même avec un salaire de smicard. « Y m'faudrait un prêt de trois briques, m'sieur. Pour me payer une bagnole. » Ils lui avaient ri au nez, à la banque. Ce jour-là, il avait tout compris. Djamel, il savait ça déjà. Et dans ses yeux, c'était Manu, Ugo et moi que je voyais. Trente ans plus tôt.

— Je peux la ressortir, la mob?

— Tu devrais la refourguer. Si tu veux mon avis.

— Les autres, y m'ont dit que ça faisait pas de problème. Il me regarda de nouveau à la dérobée. J'leur ai pas dit, que vous m'aviez demandé pareil.

— Quoi?

— D'la mettre en planque. Et tout ça.

Le téléphone sonna. Du comptoir, Ange me fit signe.

— Pérol, pour toi.

Je pris le combiné.

— Comment t'as su que j'étais là?

— Laisse tomber, Fabio. On a retrouvé la petite.

Je sentis la terre disparaître sous mes pieds. Je vis

Djamel se lever, et quitter le bar sans se retourner. Je me tenais au comptoir comme on s'agrippe à une bouée. Ange me jeta des regards affolés. Je lui fis signe de me servir un cognac. Un seul, cul sec. C'était pas ça qui pourrait me faire le plus de mal.

5

Où dans le malheur, l'on redécouvre qu'on est un exilé.

Je n'avais jamais rien vu d'aussi moche. J'en avais pourtant vu. Leila gisait sur un chemin de campagne. La face contre terre. Nue. Elle tenait ses vêtements serrés sous son bras gauche. Dans son dos, trois balles. Dont une lui avait perforé le cœur. Des colonnes de grosses fourmis noires s'activaient autour des impacts et des égratignures qui zébraient son dos. Maintenant, les mouches attaquaient, pour disputer aux fourmis leur part de sang séché.

Le corps de Leila était couvert de piqûres d'insectes. Mais il ne semblait pas avoir été mordu par un chien affamé, ou un mulot. Piètre consolation, me dis-je. Elle avait de la merde séchée entre les fesses, ainsi que sur les cuisses. De longues traînées jaunâtres. Son ventre avait dû se relâcher avec la peur. Ou à la première balle.

Après l'avoir violée, ils lui avaient sans doute laissé croire qu'elle était libre. Cela avait dû les exciter de la voir courir nue. Une course vers un espoir qui était au bas du chemin. Au début de la route. Devant les phares d'une voiture qui arrive. La parole retrouvée. Au secours ! À l'aide ! La peur oubliée. Le malheur qui s'estompe. La voiture qui s'arrête. L'humanité qui se porte au secours, qui vient à l'aide, enfin.

Leila avait dû continuer de courir après la première balle. Comme si elle n'avait rien senti. Comme si elle n'avait pas existé, cette brûlure dans le dos qui lui coupait le souffle. Une course hors du monde, déjà. Là où il n'y a plus que merde, pisse, larmes. Et cette poussière qu'elle va mordre pour toujours. Loin du père, des frères, des amants d'un soir, d'un amour appelé de tout son cœur, d'une famille à construire, d'enfants à naître.

À la seconde balle, elle avait dû hurler. Parce que, quand même, le corps refuse de se taire. Il crie. Ce n'est plus à cause de cette douleur, violente, qu'il a dépassée. C'est sa volonté de vivre. L'esprit mobilise toute son énergie, et cherche l'issue. Cherche, cherche. Oublie que tu voudrais t'allonger dans l'herbe, et dormir. Crie, pleure, mais cours. Cours. Ils vont te laisser, maintenant. La troisième balle avait mis fin à tous ses rêves. Des sadiques.

D'un revers de main rageur j'écartai les fourmis et les mouches. Je regardai une dernière fois ce corps, que j'avais désiré. De la terre montait une odeur de serpolet, chaude et enivrante. J'aurais aimé te faire l'amour, ici, Leila, un soir d'été. Oui, j'aurais aimé. Nous aurions eu du plaisir, du bonheur à recommencer. Même si au bout des doigts, dans chaque caresse réinventée, se seraient profilés rupture, larmes, désillusion, que sais-je encore, tristesse, angoisse, mépris. Cela n'aurait rien changé à la saloperie humaine, qui ordonne ce monde. C'est sûr. Mais au moins, il aurait été, ce nous de la passion, qui défie les ordres. Oui, Leila, j'aurais dû t'aimer. Parole de vieux con. Je te demande pardon.

Je recouvris le corps de Leila du drap blanc que les gendarmes avaient jeté sur elle. Ma main hésita sur son visage. Le cou marqué d'une brûlure, le lobe de l'oreille gauche déchiré par la perte d'un anneau, les lèvres bouffant la terre. Je sentis mes tripes remonter à la gorge. Je tirai le drap avec rage, et me relevai. Personne ne disait mot. Le silence. Seules les cigales continuaient de couiner. Insensibles, indifférentes aux drames humains.

En me relevant, je vis que le ciel était bleu. Un bleu absolument pur, que le vert sombre des pins rendait encore plus lumineux. Comme sur les cartes postales. Putain de ciel. Putain de cigales. Putain de pays. Et putain de moi. Je m'éloignai, en titubant. Ivre de douleur et de haine.

Je redescendis le petit chemin, au milieu du chant des cigales. On se trouvait pas loin du village de Vauvenargues, à quelques kilomètres d'Aix-en-Provence. Le corps de Leila avait été trouvé par un couple de randonneurs. Ce chemin est un de ceux qui conduisent au massif de la Sainte-Victoire, cette montagne qui inspira tant Cézanne. Combien de fois avait-il fait cette promenade? Peut-être même s'était-il arrêté ici, posant son chevalet, pour tenter d'en saisir une nouvelle fois toute sa lumière.

Je croisai mes bras sur le capot de la voiture et posai mon front dessus. Les yeux fermés. Le sourire de Leila. Je ne sentais plus la chaleur. Un sang froid coulait dans mes veines. J'avais le cœur à sec. Tant de violence. Si Dieu existait, je l'aurais étranglé sur place. Sans faillir. Avec la rage des damnés. Une main se posa sur mon épaule, presque timidement. Et la voix de Pérol :

— Tu veux attendre ?

— Y a rien à attendre. Personne n'a besoin de nous. Ici pas plus qu'ailleurs. Tu sais ça, Pérol, non ? On est des flics de rien. Qui n'existent pas. Allez, on se tire.

Il se mit au volant. Je me calai dans le siège, allumai une cigarette et fermai les yeux.

— C'est qui sur l'affaire ?

— Loubet. Il était de permanence. C'est plutôt bien.

— Ouais, c'est un bon mec.

Sur l'autoroute, Pérol prit la sortie Saint-Antoine. En flic consciencieux, il avait branché la fréquence radio. Son grésillement occupait le silence. Nous n'avions plus échangé un mot. Mais sans poser de questions, il avait deviné ce que je voulais faire : aller chez Mouloud, avant les autres. Même si je savais que Loubet ferait ça avec tact. Leila, c'était comme une histoire de famille. Il avait compris ça, Pérol, et ça me touchait. Je ne m'étais jamais confié à lui. Je l'avais découvert peu à peu, depuis qu'il avait été affecté à ma Brigade. Nous nous estimions, mais nous en restions là. Même autour d'un verre. Une prudence excessive nous empêchait d'aller au-delà. De devenir amis. Une chose était sûre : comme flic, il n'avait pas plus d'avenir que moi.

Il ruminait ce qu'il avait vu, avec la même douleur et la même haine que moi. Et je savais pourquoi.

— Elle a quel âge, ta fille ?

— Vingt.

— Et… Ça va?
— Elle écoute les Doors, les Stones, Dylan. Ç'aurait pu être pire. Il sourit. Je veux dire que j'aurais préféré qu'elle soit prof ou toubib. Enfin, je sais pas quoi. Mais caissière à la Fnac, on peut pas dire que ça m'enchante.
— Et elle, tu crois que ça l'enchante? Tu sais, il y a des centaines de futurs tas de choses qui sont caissiers. D'avenir, les mômes, ils n'en ont plus guère. Saisir ce qui se présente, c'est leur seule chance aujourd'hui.
— T'as jamais eu envie d'avoir des enfants?
— J'en ai rêvé.
— Tu l'aimais, cette petite?
Il se mordit la lèvre, d'avoir osé être aussi direct. Son amitié montait au créneau. Cela me touchait, une nouvelle fois. Mais je n'avais pas envie de répondre. Je n'aime pas répondre aux questions qui me touchent intimement. Les réponses sont souvent ambiguës et peuvent prêter à toutes les interprétations. Même s'il s'agit d'un proche. Il le sentit.
— T'es pas obligé d'en parler.
— Leila, tu vois, elle l'a eue cette chance, qu'un enfant d'immigré sur des milliers peut avoir. Ce devait être trop. La vie lui a tout repris. J'aurais dû l'épouser, Pérol.
— Ça n'empêche pas le malheur.
— Parfois, il suffit d'un geste, d'un mot, pour changer le cours de la vie d'un être. Même si la promesse ne tiendra pas jusqu'à l'éternité. T'as pensé à ta fille?
— J'y pense chaque fois qu'elle sort. Mais des ordures comme ceux-là, ça court pas les rues tous les jours.

— Ouais. Mais ils courent quelque part, en ce moment.

Pérol proposa de m'attendre dans la voiture. Je racontai tout à Mouloud. À part les fourmis et les mouches. Je lui expliquai que d'autres flics viendraient, qu'il lui faudrait aller reconnaître le corps, remplir des tas de papiers. Et que s'il avait besoin de moi, bien sûr j'étais là.

Il s'était assis et m'écouta sans broncher. Ses yeux dans les miens. Il n'avait pas de larmes prêtes à couler. Comme moi, il s'était glacé. Pour toujours. Il se mit à trembler, mais sans s'en rendre compte. Il n'écoutait plus. Il vieillissait, là, devant moi. Les années allaient plus vite d'un seul coup, et le rattrapaient. Même les années heureuses lui revenaient avec un goût amer. C'est dans les moments de malheur que l'on redécouvre qu'on est un exilé. Mon père m'avait expliqué ça.

Mouloud venait de perdre la deuxième femme de sa vie. Sa fierté. Celle qui aurait justifié tous ses sacrifices, jusqu'à ceux d'aujourd'hui. Celle qui aurait enfin donné raison à son déracinement. L'Algérie n'était plus son pays. La France venait de le rejeter définitivement. Maintenant il n'était plus qu'un pauvre Arabe. Sur son sort, personne ne viendrait se pencher.

Il attendrait la mort, ici, dans cette cité de merde. L'Algérie, il n'y retournerait pas. Il y était revenu, une fois, après Fos. Avec Leila, Driss et Kader. Pour voir, comment c'était « là-bas ». Ils étaient restés vingt jours. Il avait vite compris. L'Algérie, ce n'était plus son histoire. C'était une histoire qui ne l'intéressait plus. Les magasins vides, à l'abandon. Les terres, distribuées aux anciens moudjahidins, restées incultes. Les villages déserts et repliés sur leur misère. Pas de quoi y étancher ses rêves, refaire sa vie. Dans les rues d'Oran, il n'avait pas retrouvé sa jeunesse. Tout était de « l'autre côté ». Et Marseille s'était mise à lui manquer.

Le soir où ils avaient emménagé dans ce petit deux-pièces, Mouloud, en guise de prière, avait déclaré à ses enfants : « On va vivre ici, dans ce pays, la France. Avec les Français. C'est pas un bien. C'est pas le pire des maux. C'est le destin. Faut s'adapter, mais pas oublier qui on est. »

Puis j'appelai Kader, à Paris. Pour qu'il vienne immédiatement. Et qu'il prévoie de passer du temps ici. Mouloud aurait besoin de lui, et Driss aussi. Mouloud lui dit ensuite quelques mots, en arabe. Enfin, je téléphonai à Mavros, à la salle de boxe. Driss s'y entraînait, comme tous les samedis après-midi. Mais c'était Mavros que je voulais avoir. Je lui dis, pour Leila.

— Trouve-lui un combat, Georges. Vite. Et fais-le travailler. Tous les soirs.

— Putain, je le tue, si je lui mets un combat. Même dans deux mois. Il sera bon, comme boxeur. Mais ce minot, il est pas encore prêt.

— Je préfère qu'il se tue comme ça, plutôt qu'à faire des conneries. Georges, fais ça pour moi. Occupe-toi de lui. Personnellement.

— OK, OK. Je te le passe ?

— Non. Son père lui expliquera tout à l'heure. Quand il rentrera.

Mouloud opina de la tête. C'était le père. C'était à lui de lui dire. C'est un vieil homme qui se leva du fauteuil, quand je raccrochai.

— Tu devrais partir maintenant, m'sieur. Je voudrais être seul.

Il l'était. Et perdu.

Le soleil venait de se coucher et j'étais en pleine mer. Depuis plus d'une heure. J'avais emporté quelques bières, du pain et du saucisson. Mais je n'arrivais pas à pêcher. Pour pêcher, il faut avoir l'esprit libre. Comme au billard. On regarde la boule. On se concentre sur elle, sur la trajectoire qu'on veut lui imposer, puis on imprime à la queue la force que l'on désire. Avec assurance, détermination. À la pêche, on lance la canne puis on se fixe sur le flotteur. On ne lance pas la canne comme ça. Au lancer, on reconnaît le pêcheur. Lancer relève de l'art de la pêche. L'esque accrochée à l'hameçon, il faut s'imprégner de la mer, de ses reflets. Savoir que le poisson est là, dessous, ne suffit pas. L'hameçon doit arriver sur l'eau avec la légèreté d'une mouche. La touche, on doit la pressentir. Pour ferrer le poisson à l'instant même où il mord.

Mes lancers étaient sans conviction. J'avais une boule au creux de l'estomac, que la bière ne dissipait pas. Une boule de nerfs. De larmes aussi. Cela m'aurait fait du bien, de pleurer. Mais ça ne sortait pas. Je vivrais avec cette image horrible de Leila, et cette douleur, tant que ces pourritures seraient en liberté. Que Loubet soit sur le coup me rassurait. Il était méticuleux. Il ne négligerait aucun indice. S'il y avait une chance sur mille pour qu'il dégotte ces ordures, il la trouverait. Il avait fait ses preuves. Dans ce domaine, il était bien meilleur que beaucoup, bien meilleur que moi.

J'avais mal, aussi, parce que je ne pouvais mener cette enquête. Pas pour en faire une affaire personnelle. Mais parce que de savoir de tels salauds en liberté m'était insupportable. Non, ce n'était pas vraiment ça. Je savais ce qui me torturait. La haine. J'avais envie de tuer ces types.

Je n'arrivais à rien aujourd'hui. Mais je ne me résignais pas à pêcher à la palangre. On ramène vite du poisson, comme ça. Des pageots, des daurades, des galinettes, des garis. Mais je n'y prenais guère de plaisir. On accroche des hameçons tous les deux mètres sur la ligne, et on la laisse traîner sur l'eau. J'avais toujours une palangre dans le bateau, au cas où. Pour les jours où je ne voulais pas rentrer au port les mains vides. Mais la pêche pour moi, c'était à la ligne.

Leila m'avait ramené à Lole, et Lole à Ugo et Manu. Et ça faisait un sacré raffut dans ma tête. Un trop-plein de questions, et pas de réponse. Mais il y avait une question qui s'imposait, et à laquelle je ne voulais pas répondre. Qu'est-ce que j'allais faire ? Je n'avais rien fait pour Manu. Convaincu, sans me l'avouer, que Manu ne pouvait finir que comme ça. Se faire descendre dans la rue. Par un flic, ou ce qui était plutôt habituel, par un petit truand à la solde d'un autre. C'était dans la logique des choses de la rue. Que Ugo crève sur le trottoir, ça l'était moins. Il n'avait pas cette haine du monde que Manu portait au fond de lui, et qui n'avait cessé de grandir au fil des années.

Je ne pensais pas qu'Ugo ait changé à ce point. Je ne pouvais le croire capable de sortir un flingue et de tirer sur un flic. Il savait ce qu'était la vie. C'est pour cela qu'il avait « rompu » avec Marseille, et Manu.

Et renoncé à Lole. Quelqu'un capable de faire ça, j'en étais sûr, ne met jamais en balance la vie et la mort. Coincé, il se serait fait arrêter. La prison n'est qu'une parenthèse à la liberté. On en sort un jour ou l'autre. Vivant. Si je devais faire quelque chose pour Ugo, ce devait être ça. Comprendre ce qui s'était passé.

Au moment où je sentis la touche, la conversation avec Djamel me revint à l'esprit. Je ne ferrai pas assez vite. Je ramenai la ligne pour accrocher une autre esque. Si je voulais comprendre, je devais éclaircir cette piste. Est-ce qu'Auch avait identifié Ugo sur les témoignages des gardes du corps de Zucca ? Ou est-ce qu'il l'avait fait filer dès sa sortie de chez Lole ? Est-ce qu'il aurait laissé Ugo tuer Zucca ? C'était une hypothèse, mais je ne pouvais l'admettre. Je n'aimais pas Auch, mais je ne l'imaginais pas aussi machiavélique. Je revins à une autre question : comment Ugo avait-il su aussi vite pour Zucca ? Et par qui ? Une autre piste à suivre. Je ne savais pas encore comment m'y prendre, mais je devais m'y mettre. Sans me trouver dans les pattes d'Auch.

J'avais fini les bières et réussi quand même à prendre un loup. Deux kilos, deux kilos cinq. Pour une mauvaise journée, c'était mieux que rien. Honorine attendait mon retour. Assise sur sa terrasse, elle regardait la télé par la fenêtre.

— Mon pôvre, z'auriez pas fait fortune, comme pêcheur, vé ! dit-elle en voyant mon loup.

— Je suis jamais parti pour faire fortune.

— Juste un loup comme ça… Elle le regarda d'un air désolé. Z'allez le faire comment ? Je haussai les épaules. Vé ! à la sauce Belle Hélène, y serait peut-être pas mal.

— Faudrait un crabe, et j'en ai pas.

— Oh ! Vous, z'avez votre tête des mauvais jours. Boudiou, faut pas trop vous chatouiller, qu'on dirait ! Dites, j'ai des langues de morue, qu'elles marinent depuis hier. Si ça vous dit, je les amène demain ?

— Jamais goûté. Où vous avez trouvé ça ?

— C'est une nièce, vé, qu'elle me les a ramenées de Sète. Moi, j'en ai plus mangé depuis que mon pauvre Toinou il est parti. Bon, je vous ai laissé de la soupe au pistou. Elle est encore tiède. Reposez-vous, que vous avez vraiment la petite mine.

Babette n'hésita pas une seule seconde.

— Batisti, elle dit.

Batisti. Merde ! Comment n'y avais-je pas pensé plus tôt ? Tellement évident que ça ne m'était même pas venu à l'esprit. Batisti avait été un des hommes de main de Mémé Guérini, le caïd marseillais des années 40. Il avait décroché il y a une vingtaine d'années. Après la tuerie du Tanagra, un bar du Vieux-Port, où quatre rivaux, proches de Zampa, furent exécutés. Ami de Zampa, Batisti s'était-il senti menacé ? Babette l'ignorait.

Il avait ouvert une petite société d'import-export et coulait une vie paisible, respecté de tous les truands. Il n'avait jamais pris parti dans la guerre des chefs, n'avait manifesté aucune velléité de pouvoir et de fric. Il conseillait, servait de boîte aux lettres, mettait en liaison les hommes entre eux. Lors du casse de Spaggiari à Nice, c'est lui qui, en pleine nuit, monta l'équipe capable de venir à bout des coffres de la Société Générale. Les hommes aux chalumeaux. Au moment du partage, il refusa sa commission. Il avait rendu service, c'est tout. Il gagnait en respect. Et le respect dans le Milieu, c'était la meilleure assurance sur la vie.

Manu atterrit chez lui un jour. Un passage obligé, si l'on ne voulait pas rester un casseur de rien. Manu avait longtemps hésité. Depuis le départ d'Ugo, il était devenu du genre solitaire. Il ne faisait confiance à personne. Mais les petits braquages devenaient dangereux. Et puis, il y avait de la concurrence. Pour pas mal de jeunes Arabes, c'était devenu un sport favori. Quelques coups réussis permettaient de constituer la cagnotte nécessaire pour devenir dealer, et avoir le contrôle d'un lotissement, voire de la cité. Gaëtan Zampa, qui avait reconstitué le milieu marseillais, venait de se pendre dans sa cellule. Le Mat et Le Belge tentaient d'éviter un nouvel éclatement. On recrutait.

Manu se mit à bosser pour le Belge. Occasionnellement. Batisti et Manu, ils s'étaient plu. Manu avait trouvé en lui le père qu'il n'avait jamais eu. Le père idéal, qui lui ressemblait, et qui ne lui faisait pas la morale. Le pire des pères, pour moi. Je n'aimais pas Batisti. Mais j'avais eu un père, et je n'avais pas vraiment eu à m'en plaindre.

— Batisti, répéta-t-elle. Il suffisait d'y penser, mon chou.

Très fière d'elle, Babette se resservit un marc du Garlaban. Tchin, elle dit en levant son verre, un sourire aux lèvres. Après le café, Honorine était partie faire une petite sieste chez elle. Nous étions sur la terrasse, en maillot de bain dans des chaises longues, sous un parasol. La chaleur nous collait à la peau. Babette, je l'avais appelée hier soir et, par chance, elle était chez elle.

— Alors beau brun, tu te décides enfin à m'épouser ?

— Juste t'inviter, ma belle. À déjeuner, chez moi, demain.

— Toi, t'as un service à me demander. Toujours le même salaud ! Ça fait combien ? Hein ? Tu le sais même pas, j'parie ?

— Heu... Disons trois mois.

— Huit, hé connard ! T'as dû tremper ton beignet partout et n'importe où.

— Rien que chez les putes.

— Pouah ! Quelle honte. Alors que moi, je me morfonds. Elle soupira. Bon, c'est quoi au menu ?

— Langues de morue, loup grillé, lasagnes fraîches au fenouil.

— T'es con, ou quoi ? J'te demande de quoi tu veux causer. Que je révise.

— Que tu m'expliques ce qui se passe dans le Milieu en ce moment.

— C'est en rapport avec tes potes ? J'ai lu pour Ugo. Suis désolée.

— Ça se pourrait.

— Hé ! C'est quoi qu't'as dit ? Des langues de morue ? C'est bon ?

— Jamais goûté, ma belle. Une première avec toi, ce sera.

— Hum. Et si on s'offrait un hors-d'œuvre tout de suite ? J'apporte ma petite chemise de nuit, et je fournis les capotes ! J'en ai des bleues, assorties à mes yeux !

— Tu vois, il est presque minuit, les draps sont sales, et les propres sont pas repassés.

— Fumier !

Elle avait raccroché. En riant.

Babette, je la connaissais depuis presque vingt-cinq ans. Je l'avais rencontrée une nuit au Péano. Elle venait d'être embauchée comme correctrice à *La Marseillaise*. On avait eu une liaison, comme nous en avions à cette époque-là. Cela pouvait durer une nuit, ou une semaine. Jamais plus.

Nous nous étions retrouvés lors de la conférence de presse où fut présentée la réorganisation des Brigades de surveillance de secteurs. Avec moi en guest star. Elle était devenue journaliste, s'était spécialisée dans les faits divers, puis elle avait quitté le journal, et s'était mise à son compte. Elle pigeait régulièrement au *Canard enchaîné*, et des quotidiens, des hebdos lui confiaient assez souvent de grosses enquêtes. Elle en connaissait plus long que moi sur la délinquance, la politique sécuritaire et le Milieu. Une véritable encyclopédie, mignonne à croquer. Elle avait un petit côté madone de Botticelli. Mais dans ses yeux, on voyait bien que ce n'était pas Dieu qui l'inspirait, mais la vie. Et tous les plaisirs qui allaient avec.

On eut une autre liaison. Aussi rapide que la première. Mais on aimait bien se retrouver. Un dîner, une nuit. Un week-end. Elle n'attendait rien. Je ne demandais rien. Chacun retournait à ses affaires, jusqu'à une prochaine fois. Jusqu'au jour où il n'y aurait plus de prochaine fois. Et la dernière fois, elle et moi, nous avions su que c'était la dernière fois.

Je m'étais mis à la cuisine tôt le matin, en écoutant de vieux blues de Lightnin'Hopkins. Après avoir nettoyé le loup, je l'avais rempli de fenouil, puis l'avais arrosé d'huile d'olive. Je préparai ensuite la sauce des lasagnes. Le reste du fenouil avait cuit à feu doux dans de l'eau salée, avec une pointe de beurre. Dans une poêle bien huilée, j'avais fait revenir de l'oignon émincé, de l'ail et du piment finement haché. Une cuillerée à soupe de vinaigre, puis j'avais ajouté des tomates que j'avais plongées dans l'eau bouillante et coupées en petits cubes. Lorsque l'eau s'était évaporée, j'avais ajouté le fenouil.

Je m'apaisais, enfin. La cuisine avait cet effet sur moi. L'esprit ne se perdait plus dans les méandres complexes des pensées. Il se mettait au service des odeurs, du goût. Du plaisir.

Babette arriva avec *Last night blues*, au moment où je me servais un troisième pastis. Elle portait des jeans noirs très moulants, un polo d'un bleu assorti à ses yeux. Sur ses cheveux longs et frisés, une casquette de toile blanche. Nous étions sensiblement du même âge, mais elle n'avait pas l'air de vieillir. La moindre petite ride au coin des yeux, ou à la commissure des lèvres, ajoutait à son pouvoir de séduction. Elle le savait et elle en jouait habilement. Cela ne me laissait jamais insensible. Elle alla renifler au-dessus de la poêle, puis m'offrit ses lèvres.

— Salut matelot, dit-elle. Hum, j'en prendrais bien un, de pastis.

Sur la terrasse, j'avais préparé une bonne braise. Honorine apporta les langues de morue. Elles marinaient dans une terrine avec de l'huile, du persil haché et du poivre. Selon ses indications, j'avais préparé une pâte à beignets à laquelle j'avais incorporé deux blancs d'œuf montés en neige.

— Vé ! Allez boire le pastis, tranquilles. Je m'en occupe du reste.

Les langues de morue, nous expliqua-t-elle à table, c'était un plat délicat. On pouvait les faire au gratin, avec une sauce aux clovisses ou à la provençale, en papillote ou même cuites au vin blanc avec quelques lamelles de truffes et des champignons. Mais en beignets, selon elle, c'était ça le mieux. Babette et moi étions prêts à goûter les autres recettes, tant c'était délicieux.

— Et maintenant, j'ai droit au petit sucre d'orge ? dit Babette, en passant sa langue sur ses lèvres.

— Tu crois pas qu'on a passé l'âge ?

— Y a pas d'âge pour les gâteries, mon chou !

J'avais envie de réfléchir à tout ce qu'elle venait de me raconter sur le Milieu. Une sacrée leçon. Et à Batisti. Ça me brûlait d'aller le voir. Mais ça pouvait attendre jusqu'à demain. On était dimanche, et pour moi ce n'était pas tous les jours dimanche. Babette dut lire dans mes pensées.

— Cool, Fabio. Laisse aller, c'est dimanche. Elle se leva, me prit la main. On va se baigner ? Ça apaisera tes ardeurs !

On nagea à se faire éclater les poumons. J'aimais ça. Elle aussi. Elle avait voulu que je sorte le bateau et qu'on aille au large de la Baie des Singes. J'avais dû résister. C'était une règle, sur le bateau je n'emmenais personne. C'était mon île. Elle avait gueulé, m'avait traité de connard, de pauvre mec, puis s'était jetée à l'eau. Elle était fraîche à souhait. À bout de souffle, les bras un peu cassés, on se laissa flotter en faisant la planche.

— Qu'est-ce que tu veux, avec Ugo ?

— Comprendre. Après je verrai.

Pour la première fois, j'envisageai que comprendre ne me suffirait peut-être pas. Comprendre est une porte qu'on ouvre, mais on sait rarement ce qu'il y a derrière.

— Fais gaffe où tu mets les pieds.

Et elle plongea. Direction chez moi.

Il était tard. Et Babette était restée. Nous étions allés chercher une pizza aux supions, chez Louisette. On la mangea sur la terrasse, en buvant un côtes de Provence rosé du Mas Negrel. Frais, juste ce qu'il fallait. On éclusa la bouteille. Puis je me mis à parler de Leila. Du viol, et du reste. Lentement, en fumant. En cherchant mes mots. Pour trouver les plus beaux. La nuit était tombée. Je me tus. Vidé. Le silence nous enveloppait. Pas de musique, rien. Rien que le bruit de l'eau contre les rochers. Et des chuchotements, au loin.

Sur la digue, des familles dînaient, à peine éclairées par des lampes à gaz de camping. Les cannes à pêche calées dans la roche. Parfois, on entendait un rire. Puis un « chut ». Comme si de rire, ça pouvait faire fuir le poisson. On se sentait ailleurs. Loin de la merde du monde. Ça respirait le bonheur. Les vagues. Ces voix au loin. Cette odeur de sel. Et même Babette à côté de moi.

Je sentis sa main courir dans mes cheveux. Elle m'attira doucement sur son épaule. Elle sentait la mer. Elle me caressa la joue avec tendresse, puis le cou. Sa main remonta sur ma nuque. C'était doux. Je me mis enfin à sangloter.

6

Où les aubes ne sont que l'illusion de la beauté du monde.

L'arôme du café me réveilla. Une odeur qui ne me surprenait plus le matin depuis des années. Bien avant Rosa. La tirer du lit n'était pas une mince affaire. La voir se lever pour préparer le café relevait du miracle. Carmen peut-être ? Je ne savais plus. Je sentis le pain grillé et décidai de me lever. Babette n'était pas rentrée. Elle s'était couchée contre moi. J'avais posé ma tête sur son épaule. Son bras m'avait enveloppé. Je m'étais endormi. Sans un mot de plus. J'avais tout dit. De mon désespoir, de mes haines, et de ma solitude.

Sur la terrasse, le déjeuner était prêt. Bob Marley chantait *Stir it Up*. Ça allait bien avec cette journée. Ciel bleu, mer d'huile. Le soleil déjà au rendez-vous. Babette avait enfilé mon peignoir de bain. Elle beurrait des tartines, une cigarette au bec, en se mouvant, presque imperceptiblement, au rythme de la musique. Le bonheur exista l'éclair d'une seconde.

— J'aurais dû t'épouser, dis-je.

— Arrête tes conneries !

Et au lieu de me tendre ses lèvres, elle m'offrit sa joue. Elle instaurait un nouveau rapport entre nous. Nous avions basculé dans un monde où le mensonge n'existait plus. Je l'aimais bien, Babette. Je le lui dis.

— T'es complètement fêlé, Fabio. T'es un malade du cœur. Moi du cul. Nos chemins peuvent pas se croiser. Elle me regarda comme si elle me voyait pour la première fois. Et je préfère ça, finalement. Parce que moi aussi, je t'aime bien.

Son café était délicieux. Elle m'expliqua qu'elle allait proposer une enquête sur Marseille à *Libé*. La crise économique, la mafia, le football. Histoire de se faire rétribuer les informations qu'elle ramènerait pour moi. Elle était partie en me promettant d'appeler d'ici deux à trois jours.

Je restai à fumer des cigarettes, en regardant la mer. Babette m'avait brossé un tableau précis de la situation. Le Milieu marseillais était fini. La guerre des chefs l'avait affaibli et personne aujourd'hui n'avait l'envergure d'un *capi*. Marseille n'était plus qu'un marché, convoité par la Camorra napolitaine, dont toute l'activité est centrée sur le trafic d'héroïne et de cocaïne. *Il Mondo*, un hebdomadaire milanais, avait estimé, en 1991, les chiffres d'affaires des camorristes Carmine Alfieri et Lorenzo Nuvoletta respectivement à 7 et 6 milliards de dollars. Deux organisations se disputaient Marseille depuis dix ans. La Nouvelle Camorra organisée de Raffaele Cutolo, et la Nouvelle Famille des clans Volgro et Giuliano.

Zucca avait choisi son camp. *La Nuova Famiglia*. Il avait laissé la prostitution, les boîtes de nuit, et les jeux. Une partie à la mafia arabe, et l'autre aux truands marseillais. Il gérait pour ces derniers cet ersatz de l'empire corse. Ses vraies affaires, il les faisait avec le camorriste Michèle Zaza, dit *O Pazzo*, le fou. Zaza opérait sur l'axe Naples, Marseille et Sint Marteens, la partie hollandaise de l'île de Saint-Martin aux Antilles. Pour lui, il recyclait les profits de la drogue dans des supermarchés, des restaurants et des immeubles. Le boulevard Longchamp, un des plus beaux de la ville, était pratiquement à eux.

Zaza était « tombé » un mois plus tôt à Villeneuve-Loubet, près de Nice, lors d'une opération « Mare verde ». Mais cela ne changeait rien à l'histoire. Zucca, habilement, presque avec génie, avait développé de puissants réseaux financiers à partir de Marseille avec la Suisse et l'Allemagne. Zucca était protégé par les Napolitains. Tout le monde le savait. L'abattre relevait de la folie furieuse.

J'avais dit à Babette que c'était Ugo qui avait descendu Zucca. Pour venger Manu. Et que je ne voyais pas qui avait pu lui foutre pareille idée en tête, ni pourquoi. J'appelai Batisti.

— Fabio Montale. Ça te dit quelque chose ?

— Le flic, répondit-il après un court silence.

— L'ami de Manu, et d'Ugo. Il eut un petit rire ironique. Je veux te voir.

— Je suis très occupé, tous ces jours.

— Moi pas. Je suis même libre à midi. Et j'aimerais bien que tu m'invites dans un endroit sympa. Pour causer, toi et moi.

— Sinon ?

— Je peux te faire chier.

— Moi aussi.

— Mais toi, t'aimes pas trop la pub, à ce que je sais.

J'étais arrivé au bureau en pleine forme. Et

déterminé. J'avais les idées claires, et je savais que je voulais aller jusqu'au bout, pour Ugo. Pour Leila, je m'en remettais à l'enquête. Pour l'instant. J'étais descendu dans la salle d'appel accomplir le rite hebdomadaire de la constitution des équipes.

Cinquante bonshommes en tenue. Dix voitures. Deux cars. Équipes de jour, équipes de nuit. Les affectations par secteurs, cités, supermarchés, stations-service, banques, bureaux de poste, lycées. La routine. Des types que je ne connaissais pas, ou peu. C'était rarement les mêmes. Un recul sur la mission qui m'avait été confiée. Des jeunes, des vieux. Des pères de famille, des jeunes mariés. Des pères peinards, des jeunes va-t-en-guerre. Pas racistes, juste avec les Arabes. Et les Noirs, et les Gitans. Je n'avais rien à dire. Seulement faire les équipes. Je faisais l'appel, et je décidais les équipiers à la gueule des types. Ça ne donnait pas toujours les meilleurs résultats.

Parmi les gars, un Antillais. C'était le premier qu'on m'envoyait. Grand, baraqué, cheveux ras. Je n'aimais pas ça. Ces mecs-là, ils se croient plus français qu'un Auvergnat. Les Arabes, c'est pas vraiment leur verre de rhum. Ni les Gitans.

J'en avais côtoyé à Paris, au commissariat de Belleville. Ils leur faisaient salement payer aux autres, de ne pas être auvergnats. L'un d'eux m'avait dit : « Des beurs, t'en vois pas chez nous. Z'ont, comme qui dirait, choisi leur camp, tu vois ! » Je n'avais pas le sentiment d'appartenir à un camp. Simplement d'être au service de la justice. Mais le temps, c'est à lui qu'il donnait raison. Ces gars-là, je les préférais à la Poste, ou à ÉDF. Luc Reiver répondit à l'appel de son nom. Je le mis avec trois vieux. Et vogue la galère !

Les belles journées n'existent qu'au petit matin. J'aurais dû m'en souvenir.Les aubes ne sont que l'illusion de la beauté du monde. Quand le monde ouvre les yeux, la réalité reprend ses droits. Et l'on retrouve le merdier. C'est ce que je me dis quand Loubet entra dans mon bureau. Je le compris, parce qu'il resta debout. Les mains dans ses poches.

— La petite, elle a été tuée vers les 2 heures du mat', le samedi. Avec la chaleur, les mulots... Cela aurait pu être encore plus dégueulasse que ce que tu as vu. Ce qui s'est passé avant, on l'ignore. D'après le labo, ils l'ont violée à plusieurs. Le jeudi, le vendredi. Mais pas là où on l'a trouvée... Par-devant et par-derrière, si tu veux savoir.

— Je m'en fous, des détails.

De la poche droite de sa veste, il sortit un petit sac plastique. Une à une, il posa devant moi trois balles.

— On les a retirées du corps de la petite.

Je le regardais. J'attendais. Il sortit de la poche gauche un autre petit sac. Il posa deux balles, parallèlement aux autres.

— Celles-là, on les a retirées d'Al Dakhil et de ses gardes du corps.

Elles étaient identiques. Les mêmes armes. Les deux tueurs étaient les violeurs. Ma gorge se sécha.

— Et merde ! articulai-je avec peine.

— L'enquête est close, Fabio.

— Il en manque une.

Je désignais la troisième balle. Celle d'un Astra spécial. Son regard soutint le mien.

— Ils s'en sont pas servis, samedi soir.

— Ils n'étaient que deux. Un troisième homme est dans la nature.

— Un troisième? Où t'as pêché ça?

J'avais une théorie sur les viols. Un viol ne pouvait être le fait que d'une, ou de trois personnes. Jamais de deux. À deux, il y en a toujours un qui n'a rien à glander. Faut attendre son tour. Seul, c'était le classique. À trois, un jeu pervers. Mais c'était une théorie que je venais de bâtir. Sur une intuition. Et par colère. Parce que je me refusais à admettre que l'enquête était close. Il devait en rester un, parce qu'il fallait que je le retrouve.

Loubet me regarda d'un air désolé. Il ramassa les balles et les rangea dans leur sachet.

— Je suis ouvert à toutes les hypothèses. Mais... Et j'ai encore quatre affaires sur les bras.

Il tenait la balle de l'Astra spécial entre les doigts.

— C'est celle qui a perforé le cœur? je demandai.

— J'en sais rien, dit-il surpris. Pourquoi?

— J'aimerais savoir.

Une heure après, il me rappelait. Il confirmait. C'était bien la balle qui avait perforé le cœur de Leila. Bien sûr, ça ne menait à rien. Cela conférait seulement à cette balle un mystère que je voulais éclaircir. Au ton de sa réponse, je devinai que Loubet ne considérait pas l'affaire comme totalement classée.

Je retrouvai Batisti au Bar de la Marine. Sa cantine. C'était devenu le rendez-vous des skippers. Au mur, il y avait toujours la toile de Louis Audibert représentant la partie de cartes de *Marius*, et la photo de

Pagnol et sa femme sur le port. À une table derrière nous, Marcel, le patron, expliquait à deux touristes italiens que, oui, c'est bien là, que le film a été tourné. Le plat du jour, supions frits et gratin d'aubergines. Avec un petit rosé des caves du Rousset, réserve du patron.

J'étais venu à pied. Pour le plaisir de flâner sur le port, en mangeant des cacahuètes salées. J'aimais cette promenade. Quai du port, quai des Belges, quai de Rive-Neuve. L'odeur du port. Mer et cambouis.

Les poissonnières, toujours en voix, vendaient la pêche du jour. Daurades, sardines, loups et pageots. Devant l'étal d'un Africain, un groupe d'Allemands marchandait de petits éléphants en ébène. L'Africain aurait raison d'eux. Il rajouterait un faux bracelet en argent, avec un faux poinçon. Il consentirait cent francs sur le tout. Il serait encore gagnant. J'avais souri. C'est comme si je les avais toujours connus. Mon père me lâchait la main, et je courais vers les éléphants. Je m'accroupissais pour les voir de plus près. Je n'osais pas les toucher. L'Africain me regardait en roulant ses yeux. Ce fut le premier cadeau de mon père. J'avais quatre ans.

Avec Batisti, j'y allai au flan.

— Pourquoi t'as branché Ugo sur Zucca ? C'est tout ce que je veux savoir. Et qui y gagne quoi ?

Batisti était un vieux renard. Il mastiqua avec application, finit son verre de vin.

— Qu'est-ce que tu sais ?

— Des choses, que je devrais pas savoir.

Ses yeux cherchèrent dans les miens les indices du bluff. Je ne cillai pas.

— Mes informateurs étaient formels.

— Arrête, Batisti ! Tes informateurs, je m'en tape. Y en a pas ! C'est ce qu'on t'a dit de dire, et tu l'as dit. T'as envoyé Ugo faire ce que personne n'avait les couilles de risquer. Zucca était sous protection. Et Ugo, après, il s'est fait dessouder. Par des flics. Bien informés. Un piège.

J'avais l'impression de pêcher à la palangre. Plein d'hameçons, et j'attendais les touches. Il avala son café, et j'eus le sentiment d'avoir épuisé mon crédit.

— Écoute, Montale. Y a une version officielle, tu t'y tiens. T'es flic de banlieue, reste-le. T'as un joli cabanon, tâche de le garder. Il se leva. Les conseils sont gratuits. L'addition est pour moi.

— Et pour Manu ? Tu sais rien non plus ? Tu t'en tapes !

Je dis ça par colère. J'étais con. J'avais lâché les hypothèses que j'avais échafaudées. Autant dire rien de solide. Je ne ramenais qu'une menace, à peine voilée. Batisti n'était venu que pour s'informer de ce que je savais.

— Ce qui vaut pour Ugo vaut pour Manu.

— Mais tu l'aimais bien, Manu. Non ?

Il me jeta un mauvais regard. J'avais fait mouche. Mais il ne me répondit pas. Il se leva et partit vers le comptoir, l'addition à la main. Je le suivis.

— Je vais te dire, Batisti. Tu viens de me baiser la gueule, OK. Mais crois pas que je vais laisser tomber. Ugo est passé par toi, pour avoir un tuyau. Tu l'as niqué en beauté. Il voulait juste venger Manu. Alors je vais pas te lâcher. Il ramassa la monnaie. Je posai ma main sur son bras et approchai mon visage de son oreille.

Je murmurai : Encore une chose. T'as tellement peur de crever, que tu es prêt à tout. Tu chies dans ton froc. T'as pas d'honneur, Batisti. Quand je saurai, pour Ugo, je t'oublierai pas. Crois-moi.

Il dégagea son bras, me regarda tristement. Avec pitié.

— On te fera la peau avant.

— Ça vaudrait mieux pour toi.

Il sortit sans se retourner. Je le suivis des yeux, un instant. Je commandai un autre café. Les deux touristes italiens se levèrent et partirent dans une profusion de « Ciao, ciao ».

Si Ugo avait encore de la famille à Marseille, elle ne devait pas lire les journaux. Personne ne s'était manifesté après qu'il s'était fait descendre, ni après la parution de l'avis de décès que j'avais passé dans les trois quotidiens du matin. L'autorisation d'inhumer avait été délivrée vendredi. Il m'avait fallu choisir. Je ne souhaitais pas le voir partir à la fosse commune, comme un chien. J'avais cassé ma tirelire et pris sur moi les frais d'enterrement. Je ne partirais pas en vacances cette année. De toute façon, je ne partais jamais en vacances.

Les types ouvrirent le caveau. C'était celui de mes parents. Il y avait encore une place pour moi, là-dedans. Mais j'étais décidé à prendre mon temps. Mes parents, je ne voyais pas en quoi cela pouvait les gêner, d'avoir un peu de visite. Il faisait une chaleur d'enfer. Je regardai le trou sombre et humide. Ugo, il n'allait pas aimer ça. Personne d'ailleurs. Leila non plus. On l'enterrait demain. Je n'avais pas encore décidé si j'irais ou pas. Pour eux, Mouloud et ses enfants, je n'étais plus qu'un étranger. Et un flic. Qui n'avait rien pu empêcher.

Tout se déglinguait. J'avais vécu ces dernières années avec tranquillité et indifférence. Comme absent au monde. Rien ne me touchait vraiment. Les vieux copains qui n'appelaient plus. Les femmes qui me quittaient. Mes rêves, mes colères, je les avais mis en berne. Je vieillissais sans plus aucun désir. Sans passion. Je baisais des putes. Et le bonheur était au bout d'une canne à pêche.

La mort de Manu était venue secouer tout cela. Sans doute trop faiblement sur mon échelle de Richter. La mort d'Ugo, c'était la claque. En pleine gueule. Qui me tirait d'un vieux sommeil pas propre. Je me réveillais en vie, et con. Ce que j'avais pu penser de Manu et d'Ugo ne changeait rien à mon histoire. Eux, ils avaient vécu. J'aurais aimé parler avec Ugo, lui faire raconter ses voyages. Assis sur les rochers, la nuit, aux Goudes, nous ne rêvions que de cela, partir à l'aventure.

« Nom dé Diou ! Pourquoi qu'ils veulent courir si loin ! », avait gueulé Toinou. Il avait pris Honorine à témoin. « Y veulent voir quoi, ces minots ? Hein ! Vé, tu peux me le dire ! Tous les pays y sont ici. Des types de toutes les races. Des échantillons de toutes les latitudes. » Honorine avait posé devant nous une assiette de soupe de poisson.

— Nos pères, y sont venus d'ailleurs. Ils sont arrivés dans cette ville. Vé ! Ce qu'ils cherchaient, ils te l'ont trouvé ici. Et, dé Diou, même que si c'est pas vrai, y te sont restés là.

Il avait repris son souffle. Puis nous avait regardés avec colère.

— Goûtez ça ! avait-il crié en désignant les assiettes. C'est un remède contre les conneries !

— On meurt ici, avait osé Ugo.

— On meurt aussi ailleurs, mon gari ! C'est pire !

Ugo était revenu et il était mort. Fin du voyage. Je fis un signe de la tête. Le cercueil fut avalé par le trou sombre et humide. Je ravalai mes larmes. Un goût de sang me resta dans la bouche.

Je m'arrêtai au siège de Taxis Radio, au coin des boulevards de Plombière et de la Glacière. Je voulais éclaircir cette piste, celle du taxi. Elle ne mènerait peut-être à rien, mais c'était le seul fil qui reliait les deux tueurs de la place de l'Opéra à Leila.

Le type du bureau feuilletait une revue porno, d'un air las. Un parfait *mia*. Cheveux longs sur la nuque, brushing d'enfer, chemise fleurie ouverte sur une poitrine noire et velue, grosse chaîne en or où pendait un Jésus avec des diamants dans les yeux, deux baguouses à chaque main, des Ray Ban sur le nez. Cette expression, *mia*, venait d'Italie. De chez Lancia. Ils avaient lancé une voiture, la *Mia*, dont l'ouverture dans la fenêtre permet de sortir son coude sans avoir à baisser la vitre. C'était trop, pour le génie marseillais !

Des *mias*, il y en avait plein les bistrots. Frimeurs, magouilleurs. Beaufs. Ils passaient leurs journées devant leur comptoir, à boire des Ricard. Accessoirement, il leur arrivait de travailler un peu.

Celui-là, il devait rouler dans une Renault 12 couverte de phares, avec Dédé & Valérie écrit devant, des peluches qui pendent, de la moquette sur le volant. Il tourna une page. Son regard s'arrêta sur l'entrecuisse d'une blonde plantureuse. Puis il daigna lever les yeux vers moi.

— C'est pour quoi ? dit-il avec un fort accent corse.

Je lui montrai ma carte. Il la regarda à peine, comme s'il la connaissait par cœur.

— Vous arrivez à lire ? je lui dis.

Il baissa légèrement les lunettes sur son nez, me regarda avec indifférence. Parler semblait l'épuiser. Je lui expliquai que je voulais savoir qui conduisait la Renault 21, immatriculée 675 JLT 13, samedi soir. Une histoire de feu rouge grillé sur l'avenue des Aygalades.

— 'Vous déplacez pour ça, maintenant ?

— On se déplace pour tout. Sinon les gens écrivent au ministre. Y a eu une plainte.

— Une plainte ? Pour un feu rouge grillé ?

Le ciel lui tombait sur la tête ! Dans quel monde on vivait !

— C'est plein de piétons fous, je dis.

Ce coup-ci, il ôta ses Ray Ban et me regarda attentivement. Des fois que je me paierais sa gueule. Je haussai les épaules, l'air las.

— Ouais, et c'est nous qu'on paye, bordel ! Seriez mieux à perdre moins d'temps dans ces conneries. C'qu'on a besoin, c'est de sécurité.

— Sur les passages piétons aussi. Il commençait à me courir. Nom, prénom, adresse et téléphone du chauffeur ?

— S'il doit se présenter au commissariat, je lui dirai.

— C'est moi qui convoque. Par écrit.

— Vous êtes de quel commissariat ?

— Bureau central.

— Je peux revoir votre carte?

Il la prit, nota mon nom sur un bout de papier. J'eus conscience de franchir la ligne blanche. Mais il était trop tard. Il me la rendit, presque avec dégoût.

— Montale. Italien, non? J'approuvai. Il sembla partir dans une grande réflexion, puis me regarda : On peut toujours s'arranger, pour un feu rouge. On vous rend assez de services comme ça, non?

Encore cinq minutes de ce babillage et j'allais l'étrangler avec sa chaîne en or, ou lui faire bouffer son Jésus. Il feuilleta un registre, s'arrêta sur une page, fit courir son doigt sur une liste.

— Pascal Sanchez. Vous notez ou faut que j'écrive?

Pérol me fit le point sur la journée. 11 heures 30. Un mineur pris pour vol à l'étalage, chez Carrefour. Une broutille, mais il avait fallu tout de même alerter les parents et dresser une fiche. 13 heures 13. Une bagarre dans un bar, Le Balto, chemin du Merlan, entre trois Gitans, et une fille au milieu. Tout le monde avait été embarqué, puis aussitôt relâché, faute de plainte. 14 heures 18. Appel radio. Une mère de famille débarque au commissariat du secteur, avec son gamin sévèrement contusionné au visage. Une affaire de coups et blessures volontaires à l'intérieur du lycée Marcel-Pagnol. Convocation des auteurs présumés et de leurs parents. Confrontation. L'histoire avait duré tout l'après-midi. Ni drogue, ni racket. Apparemment. À suivre quand même. Sermon aux parents, avec l'espoir que ça serve à quelque chose. La routine.

Mais la bonne nouvelle, c'est qu'on avait enfin un

moyen de coincer Nacer Mourrabed, un jeune dealer qui opérait sur la cité Bassens. Il s'était battu la veille au soir en sortant du Miramar, un bar de l'Estaque. Le type avait porté plainte. Mieux : il l'avait maintenue, et s'était présenté au commissariat pour faire sa déposition. Beaucoup se dégonflaient, et on ne les revoyait jamais. Même pour un vol, sans violence. La peur. Et le manque de confiance dans les flics.

Mourrabed, je le connaissais par cœur. Vingt-deux ans, placé sept fois en garde à vue. La première fois, il avait quinze ans. Une bonne moyenne. Mais c'était un malin. On n'avait jamais rien pu retenir contre lui. Cette fois-ci peut-être.

Il dealait à grosse échelle depuis des mois, mais sans se mouiller. Des gosses de quinze-seize ans travaillaient pour lui. Ils faisaient le sale boulot. L'un trimballait la came, l'autre touchait le fric. Ils étaient huit-dix comme ça. Lui, assis dans sa voiture, surveillait. Il ramassait plus tard. Dans un bar, dans le métro ou le bus, au supermarché. Ça changeait tout le temps. Personne n'essayait de le doubler. Il y eut une entourloupe, une fois. Il n'y en eut pas deux. Le petit malin s'était retrouvé avec une balafre sur la joue. Et bien sûr, il n'avait pas moufté contre Mourrabed. Il pouvait risquer pire.

On était tombé plusieurs fois sur les mômes. Mais en vain. Ils préféraient la taule que de cracher le nom de Mourrabed. Quand on chopait celui qui avait la came, on lui tirait son portrait, on lui faisait une fiche. Et on le relâchait. Ce n'était jamais des doses assez fortes pour tenir une inculpation. On avait essayé, on s'était fait jeter par le juge.

Pérol proposait qu'on serre Mourrabed au pieu,

demain au réveil. Ça m'allait. Avant de partir, tôt pour une fois, Pérol me dit :

— Pas trop dur, le cimetière ? Je haussai les épaules, sans répondre. J'aimerais que tu viennes manger chez nous, un jour.

Il partit sans attendre la réponse, ni sans dire au revoir. Pérol était aussi simple. Je pris le relais pour la nuit, avec Cerruti.

Le téléphone sonna. C'était Pascal Sanchez. J'avais laissé un message à sa femme.

— Hé ! Jamais grillé de feu rouge, moi. Vé ! Surtout pas là où qu'vous dites. Qu'j'y vais jamais dans ces coins. Y a que des crouilles.

Je ne relevai pas. Sanchez, je voulais me l'amener en douceur.

— Je sais, je sais. Mais y a un témoin, m'sieur Sanchez. Celui qui a relevé votre numéro. C'est sa parole contre la vôtre.

— C'est à quelle heure, qu'vous dites ? dit-il après un silence.

— 22 heures 38.

— Impossible, répondit-il sans hésiter. À ct'heure-là, j'ai fait une pause. J'ai bu un verre au Bar de l'Hôtel de Ville. Té, j'ai même acheté des clopes. Y a des témoins. Vé, je vous mens pas. J'en ai au moins quarante.

— J'ai pas besoin d'autant. Passez au bureau demain, vers onze heures. Je prendrai votre déposition. Et les nom, adresse et téléphone de deux témoins. Ça devrait s'arranger facile.

Avant que Cerruti n'arrive, j'avais une petite heure à tuer. Je décidai d'aller boire un verre chez Ange, aux Treize-Coins.

— Y a le petit qui te cherche, me dit-il. Tu sais, çui-là que t'as amené samedi.

Après avoir avalé un demi, je partis à la recherche de Djamel. Je n'avais jamais autant traîné dans le quartier depuis mon affectation à Marseille. Je n'y étais revenu que l'autre jour, pour tenter de rencontrer Ugo. Toutes ces années, je m'en étais toujours tenu à la périphérie. La place de Lenche, la rue Baussenque et la rue Sainte-Françoise, la rue François-Moisson, le boulevard des Dames, la Grand-Rue, la rue Caisserie. Ma seule incursion, c'était le passage des Treize-Coins, et le bar d'Ange.

Ce qui me surprenait maintenant, c'est que la rénovation du quartier avait quelque chose d'inachevé. Je me demandai si les nombreuses galeries de peintures, boutiques et autres commerces attiraient du monde. Et qui ? Pas les Marseillais, j'en étais sûr. Mes parents n'étaient jamais revenus au quartier, après leur expulsion par les Allemands. Les rideaux de fer étaient tirés. Les rues désertes. Les restaurants vides, ou presque. Sauf Chez Étienne, rue de Lorette. Mais cela faisait vingt-trois ans qu'il était là, Étienne Cassaro. Et il servait la meilleure pizza de Marseille. « Addition et fermeture selon humeur », avais-je lu dans un reportage de *Géo* sur Marseille. L'humeur d'Étienne nous avait souvent nourris gratis, Manu, Ugo et moi. En gueulant après nous. Des fainéants, des bons à rien.

Je redescendis la rue du Panier. Mes souvenirs y résonnaient plus que le pas des passants. Le quartier n'était pas encore Montmartre. La mauvaise réputation durait. Les mauvaises odeurs aussi. Et Djamel était introuvable.

7

Où il est préférable d'exprimer ce que l'on éprouve.

Ils m'attendaient devant chez moi. J'avais la tête ailleurs, et j'étais épuisé. Je rêvais d'un verre de Lagavulin. Ils étaient sortis de l'ombre aussi silencieux que des chats. Quand je réalisai leur présence, il était trop tard.

On m'enfonça un épais sac plastique sur la tête et deux bras se glissèrent sous mes aisselles, me soulevèrent, tout en enserrant ma poitrine. Deux bras d'acier. Le corps du type se colla au mien. Je me débattis.

Le coup arriva dans le ventre. Violent, et fort. J'ouvris la bouche et avalai tout l'oxygène que contenait encore le sac. Merde ! avec quoi il frappait, le mec ? Un second coup. De même puissance. Un gant de boxe. Putain ! un gant de boxe ! De l'oxygène, il n'y en avait plus sous le sac. Fumier ! Je ruai, jambes et pieds en avant. Dans le vide. Sur ma poitrine, l'étau se resserra.

Un coup arriva sur la mâchoire. J'ouvris la bouche et un autre coup suivit, au ventre. J'allais m'asphyxier. Je suais à grande eau. Envie de me plier en deux. De protéger mon ventre. Bras d'acier le sentit. Il me laissa glisser. Une fraction de seconde. Il me redressa, toujours collé à moi. Je sentis son sexe contre mes fesses. Il bandait, le salaud! Gauche, droite. Deux coups. Encore au ventre. La bouche grande ouverte, j'agitai ma tête dans tous les sens. Je voulais crier, mais plus aucun son ne sortait. À peine un râle.

Ma tête semblait flotter dans une bouilloire. Sans soupape de sécurité. L'étau sur ma poitrine ne se relâchait pas. Je n'étais plus qu'un punching-ball. Je perdis la notion du temps, et des coups. Mes muscles ne réagissaient plus. Je voulais de l'oxygène. C'est tout. De l'air! Un peu d'air! Juste un peu! Puis mes genoux touchèrent violemment le sol. Instinctivement, je me mis en boule. Un souffle d'air venait d'entrer sous le sac plastique.

— Un avertissement, connard! La prochaine fois, on te crève!

Un coup de pied m'arriva au bas du dos. Je gémis. Le moteur d'une moto. J'arrachai le sac plastique et respirai tout l'air que je pus.

La moto s'éloigna. Je restai sans bouger. À tenter de retrouver une respiration normale. Un frisson me parcourut, puis je me mis à trembler de la tête aux pieds. Bouge-toi, je me dis. Mais mon corps s'y refusait. Il ne voulait pas. Bouger, c'était relancer la douleur. En boule, là, je ne ressentais rien. Mais je ne pouvais pas rester comme ça.

Les larmes coulaient sur mes joues, arrivaient, salées, sur mes lèvres. Je crois que je m'étais mis à pleurer sous les coups et que je n'avais pas arrêté.

Je léchai mes larmes. C'était presque bon, ce goût salé. Et si t'allais te servir un whisky, hein, Fabio? Tu te lèves et tu y vas. Non, sans te redresser. Doucement, voilà. Tu ne peux pas. Vas-y à quatre pattes, alors. Jusqu'à ta porte. Elle est là, tu vois. Bien. Assieds-toi, le dos contre le mur. Respire. Allez, cherche tes clefs. Bon, prends appui sur le mur, redresse-toi lentement, laisse peser ton corps sur la porte. Ouvre. La serrure du haut, voilà. Celle du milieu, maintenant. Merde, t'avais pas fermé celle-là !

La porte s'ouvrit, et je me retrouvai dans les bras de Marie-Lou. Sous le choc, elle perdit l'équilibre. Je nous vis tomber. Marie-Lou. Je devais être dans le cirage. J'étais dans le cirage. Noir.

J'avais un gant mouillé d'eau froide sur le front. Je sentis la même fraîcheur sur mes yeux, mes joues, puis dans le cou et sur la poitrine. Quelques gouttes d'eau glissèrent sur mes omoplates. Je frissonnai. J'ouvris les yeux. Marie-Lou me sourit. J'étais nu. Sur mon lit.

— Ça va?

Je fis oui de la tête, fermai les yeux. Malgré la faible lumière, j'avais du mal à les garder ouverts. Elle enleva le gant de mon front. Puis elle le reposa. Il était de nouveau froid. C'était bon.

— Il est quelle heure? je dis.

— Trois heures vingt.

— T'as une cigarette?

Elle en alluma une et me la mit entre les lèvres. J'aspirai, puis amenai ma main gauche pour l'ôter de mes lèvres. Ce seul mouvement me déchira le ventre. J'ouvris les yeux.

— Tu fais quoi là?

— Fallait que je te voie. Enfin quelqu'un. J'ai pensé à toi.

— T'as eu mon adresse où ?

— Le Minitel.

Le Minitel. Bordel ! Cinquante millions de personnes pouvaient débarquer comme ça, chez moi, grâce au Minitel. Connerie d'invention. Je refermai les yeux.

— J'étais assise devant la porte. La dame d'à côté, Honorine, elle m'a proposé d'attendre chez elle. Nous avons parlé. J'ai dit que j'étais une amie. Puis elle m'a ouvert chez toi. Il était tard. C'était mieux, elle a pensé. Elle m'a dit que tu comprendrais.

— Comprendre quoi ?

— Qu'est-ce qui t'est arrivé ?

Je lui racontai. En bref. Avec le minimum de mots. Avant qu'elle ne me demande pourquoi, je roulai sur le côté et m'assis.

— Aide-moi. J'ai besoin d'une douche.

Je passai mon bras droit autour de ses épaules, et soulevai mes soixante-dix kilos avec une peine énorme. Pire que les travaux d'Hercule ! Je restai plié. Peur de réveiller la douleur qui était là, tapie dans l'estomac.

— Appuie-toi.

Je m'adossai contre le mur. Elle ouvrit les robinets.

— Tiède, je dis.

Elle ôta son tee-shirt, enleva son jeans, puis me fit entrer sous la douche. Je me sentais faible. L'eau me fit un bien immédiat. J'étais contre Marie-Lou, mes bras passés autour de son cou. Les yeux fermés. L'effet ne se fit pas attendre.

— Ben ! T'es pas encore mort, mon salaud ! lança-t-elle en sentant mon sexe se durcir.

Je souris, malgré moi. J'étais quand même de plus en plus flageolant sur mes jambes. Je tremblais.

— Tu veux plus chaud?

— Non. Froid. Lève-toi. Je posai mes mains contre le carrelage. Marie-Lou sortit de la douche. Vas-y!

Elle ouvrit le robinet à fond. Je hurlai. Elle arrêta l'eau, attrapa une serviette et me frictionna. J'allai jusqu'au lavabo. Besoin de voir ma gueule. J'allumai la lampe. Ce que je vis ne me réjouit pas. Ma gueule, elle, était intacte. Mais c'était derrière moi. Le visage de Marie-Lou. Son œil gauche était enflé, presque bleu. Je me retournai lentement, en me tenant au lavabo.

— C'est quoi, ça?

— Mon mac.

Je l'attirai vers moi. Elle avait deux bleus à l'épaule, une marque rouge sur le cou. Elle se serra contre moi et se mit à pleurer, doucement. Son ventre était chaud contre le mien. Ça me fit un bien immense. Je lui caressai les cheveux.

— On est en piteux état, toi et moi. Tu vas me raconter.

Je me dégageai d'elle, ouvris la pharmacie et attrapai une boîte de Doliprane. La douleur m'envahissait.

— Attrape deux verres dans la cuisine. Et la bouteille de Lagavulin, qui doit traîner par là.

Je regagnai la chambre, sans me redresser. Je me laissai tomber sur le lit, puis mis le réveil à sept heures.

Marie-Lou revint. Elle avait un corps merveilleux. Ce n'était plus une prostituée. Je n'étais plus un flic. Nous étions deux pauvres éclopés de la vie. J'avalai deux Doliprane avec un peu de whisky. Je lui en proposai un. Elle refusa.

— Y a rien à raconter. Y m'a tabassée parce que j'étais avec toi.

— Avec moi ?

— T'es flic.

— Comment il le sait ?

— Tout se sait chez O'Stop.

Je regardai l'heure. Je vidai mon verre.

Reste là. Jusqu'à ce que je revienne. Tu bouges pas. Et…

Je crois que je ne terminai pas ma phrase.

Mourrabed, on le cueillit comme prévu. Au pieu, les yeux gonflés de sommeil, les cheveux en bataille. Avec lui, une gamine qui n'avait pas dix-huit ans. Il portait un caleçon à fleurs et un tee-shirt avec l'inscription : « Encore ». Nous n'avions averti personne. Ni les Stups, qui nous auraient dit de laisser tomber. Choper les intermédiaires revenait à entraver leur action contre les gros. Ça les affolait, disaient-ils. Ni le commissariat de secteur, qui se serait empressé de faire passer le message dans les cités, pour nous contrer. Cela se produisait de plus en plus fréquemment.

Nous, Mourrabed, on se l'amenait comme un délinquant ordinaire. Pour violences et voies de fait. Et maintenant, détournement de mineure. Mais ce n'était pas un délinquant ordinaire. On l'embarqua tel quel, sans l'autoriser à s'habiller. Une humiliation, purement gratuite. Il se mit à hurler. À nous traiter de fascistes, de nazis, et d'enculés de ta race, de ta mère, de ta sœur. Ça nous amusait. Les portes s'ouvraient sur les paliers et chacun pouvait le contempler menottes aux poignets, en caleçon et tee-shirt.

Dehors, on s'offrit même le temps d'une cigarette avant de le mettre dans le car. Histoire de le faire admirer par tous, déjà aux fenêtres. L'information circulerait dans les cités. Mourrabed en caleçon, une image qui ferait sourire, qui resterait. C'était autre chose que de se faire coincer dans un rodéo à travers les cités.

On débarqua au commissariat de l'Estaque sans crier gare. Ça ne les enchanta pas. Ils se voyaient déjà assiégés par des centaines de mômes armés jusqu'aux dents. Ils voulaient nous renvoyer d'où nous venions. À notre commissariat de secteur.

— La plainte a été enregistrée ici, dit Pérol. On vient donc régler l'affaire ici. Logique, non ? Il poussa Mourrabed devant lui. On va avoir une autre cliente. Une mineure qu'on a pêchée avec lui. Elle est en train de s'habiller.

Sur place, on avait laissé Cerutti avec une dizaine de gars. Je voulais qu'ils prennent une première déposition de la fille. Qu'ils passent l'appartement, ainsi que la voiture de Mourrabed, au peigne fin. Ils avertiraient ensuite les parents de la gamine, et la ramèneraient ici.

— Ça va faire du monde, sûr, que je dis.

Mourrabed s'était assis, et nous écoutait. Il se marrait presque. Je m'approchai de lui, le saisis par le cou et le mis debout, sans le lâcher.

— Pourquoi t'es là ? T'as une idée ?

— Ouais. J'ai tiré une claque à un keum l'autre soir. Bourré, j'étais.

— Ben oui. Comme qui dirait t'as des lames de rasoir dans la main. C'est ça ?

Puis les forces me manquèrent. Je devins livide. Mes

jambes se mirent à trembler. J'allais tomber et j'eus envie de vomir. Sans savoir par où commencer.

— Fabio ! dit Pérol.

— Emmène-moi aux chiottes.

Depuis le matin j'avais avalé six Doliprane, trois Guronsan et des tonnes de café. Je n'étais pas flamme, mais je tenais debout. Quand le réveil avait sonné, Marie-Lou avait grogné et s'était retournée. Je lui fis prendre un Lexomil, pour qu'elle dorme en paix. J'avais des courbatures dans les épaules, dans le dos. Et la douleur ne me lâchait pas. À peine le pied posé par terre que ça tiraillait dans tous les sens. Comme si j'avais une machine à coudre dans l'estomac. Ça me mit la haine.

— Batisti, je dis dès qu'il décrocha. Tes potes, ils auraient dû me faire la peau. Mais t'es rien qu'un vieux connard de trou du cul de merde. Tu vas en chier, comme jamais dans ta pourriture de vie.

— Montale ! il hurla dans le combiné.

— Ouais. Je t'écoute.

— Qu'est-ce tu racontes ?

— Que je suis passé sous un rouleau compresseur, hé con ! Ça te ferait bander que je te donne les détails ?

— Montale, j'y suis pour rien. Je te jure.

— Jure pas, enfoiré ! Tu m'expliques ?

— J'y suis pour rien.

— Tu te répètes.

— Je sais rien.

— Écoute, Batisti, pour moi t'es qu'un enculé de première. Mais je veux bien te croire. Je te donne vingt-quatre heures, pour te renseigner. Je t'appelle demain. Je te dirai où se retrouver. T'as intérêt à avoir de bons tuyaux.

Pérol avait bien vu que je n'étais pas dans mon assiette, quand je l'avais retrouvé. Il ne cessait de me jeter des regards inquiets. Je l'avais rassuré, en invoquant un vieil ulcère.

— Ouais, je vois, il avait fait.

Il voyait trop bien. Mais je n'avais pas envie de lui raconter le passage à tabac. Ni le reste, Manu, Ugo. J'avais fait mouche, quelque part. L'avertissement était clair. Je n'y comprenais rien, mais j'avais mis le doigt dans un engrenage. Je savais que je pouvais, moi aussi, y laisser ma peau. Mais ce n'était que moi, Fabio Montale. Je n'avais ni femme ni môme. Personne ne me pleurerait. Pérol, je ne voulais pas l'entraîner dans mes histoires. Je le connaissais suffisamment. Pour l'amitié, il était prêt à plonger dans n'importe quel merdier. Et il était évident que là où j'allais, ça puait salement. Pire que dans les chiottes de ce commissariat.

L'odeur de pisse semblait imprégner les murs. Je crachai. Des glaires au café. Dans mon estomac, c'était marée haute et marée basse en trente secondes. Entre les deux, un cyclone. J'ouvris la gueule encore plus grand. Cela m'aurait soulagé de vomir tripes et boyaux. Mais je n'avais rien dans l'estomac depuis hier midi.

— Café, dit Pérol derrière moi.

— Ça va pas descendre.

— Essaie.

Il tenait un gobelet d'une main. Je me rinçai le visage à l'eau froide, attrapai une serviette en papier et m'essuyai. Ça se calmait un peu. Je pris le gobelet, avalai une gorgée. Ça descendit sans trop de problème. Je suai immédiatement. Ma chemise se colla à la peau. Je devais avoir de la fièvre.

— Ça va, je dis.

Et j'eus un nouveau haut-le-cœur. L'impression que je recevais les coups une nouvelle fois. Derrière moi, Pérol attendait que je lui explique. Il ne bougerait pas avant.

— Bon, on s'occupe du connard, et après je te raconte.

— Ça me va. Mais Mourrabed, tu me laisses faire.

Restait plus qu'à trouver un truc qui tienne mieux la route que cette histoire d'ulcère.

Mourrabed me regarda revenir, l'air narquois. Sourire aux lèvres. Pérol lui balança une claque, puis s'assit en face de lui, à califourchon sur la chaise.

— Qu'est-ce vous espérez, hein? gueula Mourrabed, en se tournant vers moi.

— Te foutre en taule, je dis.

— Ouais. Super. 'Jouerai au foot. Il haussa les épaules. Pour avoir cogné un mec, va falloir qu'vous argumentiez chez l'juge. Mon avocat, y vous bais'ra.

— On a dix cadavres dans un placard, dit Pérol. Sûr qu'on pourra t'en coller un sur le dos. Et on le fera bouffer à ton avocat de merde.

— Eh ! Jamais buté un mec, moi.

— L'autre, t'as bien failli te le faire, non ? Alors, je vois pas que t'as tué personne. OK ?

— Ouais. Ça va, ça va. J'étais bourré, c'est tout. J'y ai tiré qu'une claque, merde !

— Raconte.

— Ouais. En sortant du bar, je l'vois, ce keum. Une meuf, que j'croyais qu'c'était. De loin, quoi. Avec ses cheveux longs. J'y demande une clope. L'en avait pas, c'con ! Y se foutait de ma gueule, dans un sens.

Alors, j'y dis, si t'en as pas, suce-moi ! Putain, y rigole ! Alors, j'y mets un pain. Ouais. C'est tout. Vrai. Y s'est barré comme un lapin. C'tait qu'un pédé.

— Sauf que t'étais pas seul, reprit Pérol. Avec tes copains, vous l'avez coursé. Tu m'arrêtes, si je me trompe. Il s'est réfugié au Miramar. Vous l'avez sorti du bar. Et vous l'avez salement amoché. Jusqu'à ce qu'on arrive. Et t'as pas de chance, à l'Estaque, t'es une vraie star. Ta gueule, on l'oublie pas.

— Ce pédé, y va la retirer sa putain de plainte !

— C'est pas dans son intention, tu vois. Pérol regarda Mourrabed, s'attardant sur son caleçon. Canon, ton caleçon. Mais ça fait pas un peu tante ?

— Hé ! J'suis pas pédé, moi. J'ai une fiancée.

— Parlons-en. C'est celle qui était au pieu avec toi ?

Je n'écoutais plus. Pérol savait où il allait. Mourrabed le dégoûtait autant que moi. Pour lui, on ne pouvait plus espérer. Il était sur la plus salope des orbites. Prêt à cogner, prêt à tuer. Le voyou idéal pour les truands. Dans deux ou trois ans, il se ferait étendre par un plus dur que lui. Peut-être que la meilleure chose qui pouvait lui arriver, c'était d'en prendre pour vingt ans. Mais je savais que ce n'était pas vrai. La vérité, c'est que face à tout ça, il n'y avait pas de réponse.

Le téléphone me fit sursauter. J'avais dû m'assoupir.

— Tu peux venir, un instant ? Cerutti au téléphone.

— Y a rien à se mettre sous la dent. Rien. Même pas un gramme de marie-jeanne.

— La gamine ?

— Fugueuse. Saint-Denis, région parisienne. Son

père, il veut la renvoyer en Algérie, pour la marier, et...

— Ça va. Tu la fais amener ici. On prendra sa déposition. Toi, tu restes avec deux gars, et tu me vérifies si c'est Mourrabed qui loue l'appartement. Sinon, tu me trouves qui. Ça, dans la journée.

Je raccrochai. Mourrabed nous vit revenir. À nouveau son sourire.

— Des problèmes ? qu'il dit.

Pérol lui allongea une autre claque, plus violente que la première. Mourrabed se frotta la joue.

— Ça plaira pas à mon avocat, quand je lui racont'rai.

— Alors, c'est ta fiancée ? reprit Pérol, comme s'il n'avait pas entendu.

J'enfilai ma veste. J'avais rendez-vous avec Sanchez, le chauffeur de taxi. Fallait que j'y aille. Je ne voulais pas le rater. Si les gros bras de cette nuit ne venaient pas de la part de Batisti, c'était peut-être lié au chauffeur de taxi. À Leila. Je me retrouvais dans une autre histoire, là. Mais est-ce que je pouvais croire Batisti ?

— On se retrouve au bureau.

— Attends, dit Pérol. Il se retourna vers Mourrabed. T'as le choix, pour ta fiancée. Si c'est oui, je te présente à son père et à ses frères. Dans une cellule fermée. Vu que t'étais pas dans leurs projets, ça va être ta fête. Si c'est non, t'es bon pour détournement de mineure. Réfléchis, je reviens.

Des nuages noirs, lourds, s'amoncelaient. Il n'était pas dix heures, et la chaleur humide collait à la peau. Pérol me rejoignit dehors.

— Joue pas au con, Fabio.

— T'inquiète. J'ai rendez-vous pour un tuyau. Une piste pour Leila. Le troisième homme.

Il hocha la tête. Puis désigna mon ventre du doigt.

— Et ça ?

— Une bagarre, cette nuit. À cause d'une fille. Je manque d'entraînement. Alors j'ai morflé.

Je lui souris. De ce sourire qui plaisait aux femmes. Séducteur en diable.

— Fabio, on commence à se connaître, toi et moi. Arrête ton cinéma. Il me regarda, attendit une réaction. Je n'en eus pas. T'as des emmerdes, je le sais. Pourquoi ? Je commence à avoir une idée. Mais t'es obligé à rien. Tes histoires, tu peux les garder pour toi. Et te les foutre au cul. C'est ton affaire. Si tu veux qu'on en cause, je suis là. OK ?

Il n'avais jamais parlé aussi longtemps. Elle me touchait, sa sincérité. Si j'avais encore quelqu'un sur qui compter dans cette ville, c'était lui, Pérol, dont je ne savais presque rien. Je ne l'imaginais pas en père de famille. Je n'imaginais même pas sa femme. Je ne m'en étais jamais inquiété. Ni même s'il était heureux. Nous étions complices, mais étrangers. On se faisait confiance. On se respectait. Et cela seul importait. Pour lui comme pour moi. Pourquoi était-il si difficile de se faire un ami passé quarante ans ? Est-ce parce que nous n'avons plus de rêves, que des regrets ?

— C'est ça, tu vois. J'ai pas envie d'en parler. Il me tourna le dos. Je l'attrapai par le bras, avant qu'il ne fasse un pas. Tout compte fait, je préfèrerais que vous veniez chez moi, dimanche midi. Je ferai la cuisine.

On se regarda. Je partis vers ma voiture. Les premières gouttes tombèrent. Je le vis entrer dans le commissariat, d'un pas décidé. Mourrabed n'avait qu'à bien se tenir. Je m'assis, enclenchai une cassette de Ruben Blades et démarrai.

Je passai par l'Estaque centre, pour rentrer. L'Estaque tentait de rester fidèle à son image ancienne. Un petit port, un village. À quelques minutes à peine de Marseille. On disait : j'habite l'Estaque. Pas Marseille. Mais le petit port était aujourd'hui ceinturé, dominé par des cités où s'entassaient les immigrés chassés du centre-ville.

Il vaut mieux exprimer ce que l'on éprouve. Bien sûr. Je savais écouter, mais je n'avais jamais su me confier. Au dernier moment, je me repliais dans le silence. Toujours prêt à mentir, plutôt que de raconter ce qui n'allait pas. Ma vie aurait sans doute pu être différente. Je n'avais pas osé raconter à mon père mes conneries avec Manu et Ugo. Dans la Coloniale, j'en avais salement bavé. Cela ne m'avait pas servi de leçon. Avec les femmes, j'allais jusqu'à l'incompréhension et je souffrais de les voir s'éloigner. Muriel, Carmen, Rosa. Quand je tendais la main, qu'enfin j'ouvrais la bouche pour m'expliquer, il était trop tard.

Ce n'était pas par manque de courage. Je ne faisais pas confiance. Pas assez. Pas suffisamment pour mettre ma vie, mes sentiments entre les mains de quelqu'un. Et je m'usais à essayer de tout résoudre par moi-même. Une vanité de perdant. Il me fallait bien le reconnaître, dans la vie, j'avais toujours perdu. Manu et Ugo, pour commencer.

Souvent, je m'étais dit que ce soir-là, après ce braquage foireux, je n'aurais pas dû m'enfuir. J'aurais dû les affronter, dire ce que j'avais sur le cœur depuis des mois, que ce que nous faisions ne conduisait à rien, que nous avions mieux à faire. Et c'était vrai, nous avions la vie devant nous, et le monde à découvrir. On aurait aimé ça, courir le monde. J'en étais persuadé. Peut-être nous serions-nous fâchés ? Peut-être auraient-ils continué sans moi ? Peut-être. Mais peut-être aussi seraient-ils là aujourd'hui. Vivants.

Je pris le chemin du Littoral, qui longe le port et la digue du Large. Mon itinéraire préféré pour entrer dans Marseille. Regards sur les bassins. Bassin Mirabeau, bassin de la Pinède, bassin National, bassin d'Arenc. L'avenir de Marseille était là. Je voulais toujours y croire.

La voix et les rythmes de Ruben Blades commençaient à faire de l'effet dans ma tête. Ils dissipaient mes angoisses. Apaisaient mes douleurs. Bonheur caraïbes. Le ciel était gris et bas, mais chargé d'une lumière violente. La mer s'inventait un bleu métallisé. J'aimais bien quand Marseille se trouvait des couleurs de Lisbonne.

Sanchez m'attendait déjà. Je fus surpris. Je m'étais imaginé une espèce de *mia*, fort en gueule. Il était petit, rondouillard. À sa manière de me saluer, je compris qu'il n'était pas du genre courageux. Main molle, yeux baissés. Le type qui dira toujours oui, même s'il pense non.

Il avait peur.

— Savez, j'suis père de famille, dit-il en me suivant dans le bureau.

— Asseyez-vous.

— Et j'ai trois enfants. Les feux rouges, les

limitations de vitesse, té, pensez si j'y fais gaffe. Mon taxi, c'est le gagne-pain, alors…

Il me tendit une feuille. Des noms, des adresses, des téléphones. Quatre. Je le regardai.

— Ils pourront vous confirmer. À l'heure qu'vous dites, j'étais avec eux. Jusqu'à onze heures trente. Après je me suis remis au taxi.

Je posai la feuille devant moi, allumai une cigarette et plantai mes yeux dans les siens. Des yeux porcins, injectés de sang. Il les baissa très vite. Il se tenait les mains, n'arrêtait pas de les serrer l'une contre l'autre. Sur son front, la sueur perlait.

— Dommage, monsieur Sanchez. Il releva la tête. Vos amis, si je les convoque, ils seront obligés de faire un faux témoignage. Vous allez leur créer des ennuis.

Il me regarda de ses yeux rouges. J'ouvris un tiroir, attrapai un dossier au hasard, bien épais, le posai devant moi et me mis à le feuilleter.

— Vous vous imaginez bien que pour un banal feu rouge, on aurait pas pris la peine de vous convoquer, et tout ça. Ses yeux s'agrandirent. Maintenant, il transpirait méchamment. C'est plus grave. Bien plus grave, monsieur Sanchez. Vos amis regretteront de vous avoir fait confiance. Et vous…

— J'y étais. De 9 heures à 11 heures.

Il avait crié. La peur. Mais il me paraissait sincère. Cela m'étonnait. Je décidai de ne plus finasser.

— Non, monsieur, lui répondis-je fermement. J'ai huit témoins. Ils valent tous les vôtres. Huit policiers en service. Sa bouche s'ouvrit, mais il n'en sortit aucun son. Dans ses yeux, je voyais défiler toutes les catastrophes du monde. À 22 heures 15, votre taxi était rue

Corneille, devant La Commanderie. Je peux vous accuser de complicité de meurtre.

— C'est pas moi, dit-il d'une voix faible. C'est pas moi. Je vais vous expliquer.

8

Où ne pas dormir ne résout pas les questions.

Sanchez était en nage. De grosses gouttes de sueur coulaient de son front. Il s'essuya d'un revers de main. Il suait également dans le cou. Au bout d'un moment, il sortit un mouchoir pour s'éponger. Je commençai à sentir sa transpiration. Il ne cessait de remuer sur sa chaise. Il devait avoir envie de pisser. Il avait peut-être même déjà mouillé son slip.

Je ne l'aimais pas, Sanchez, mais je n'arrivais pas à le prendre en grippe. Ce devait être un bon père de famille. Il bossait dur, toutes les nuits. Il dormait quand ses enfants partaient pour l'école. Il reprenait son taxi quand ils rentraient. Il ne devait jamais les voir. Sauf les rares samedis et dimanches où il était de repos. Une fois par mois, sans doute. Au début, il prenait sa femme en rentrant. Il la réveillait, elle n'aimait pas ça. Il y avait renoncé et, depuis, il se contentait d'une pute quelques fois dans la semaine. Avant d'aller bosser, ou après. Avec sa femme, ce ne devait plus être qu'une fois par mois, quand son congé tombait un samedi.

Mon père avait connu la même vie. Il était typographe au quotidien *La Marseillaise*. Il partait au journal vers les cinq heures, le soir. J'avais grandi dans ses absences. Quand il rentrait, la nuit, il venait m'embrasser. Il sentait le plomb, l'encre et la cigarette. Cela ne me réveillait pas. Ça faisait partie de mon sommeil. Quand il oubliait, ça lui arrivait, j'avais de mauvais rêves. Je l'imaginais nous abandonnant ma mère et moi. Vers douze-treize ans, je rêvais souvent qu'il avait une autre femme dans sa vie. Elle ressemblait à Gélou. Il la pelotait. Puis, au lieu de mon père, c'était Gélou qui venait m'embrasser. Ça me faisait bander. Alors je retenais Gélou, pour la caresser. Elle venait dans mon lit. Puis mon père arrivait, furieux. Il faisait un scandale. Et ma mère rappliquait, en larmes. Je ne sus jamais si mon père avait eu des maîtresses. Il avait aimé ma mère, ça, j'en étais sûr, mais leur vie me restait un mystère.

Sanchez remua sur sa chaise. Mon silence l'inquiétait.

— Ils ont quel âge vos enfants ?

— Quatorze et seize, les garçons. Dix ans, la petite. Laure. Laure, comme ma mère.

Il sortit un portefeuille, l'ouvrit et me tendit une photo de la famille. Je n'aimais pas ce que je faisais. Mais je voulais le détendre, pour qu'il m'en raconte le plus possible. Je regardai ses mômes. Tous leurs traits étaient mous. Dans leurs yeux, fuyants, aucune lueur de révolte. Des aigris de naissance. Ils n'auront de haine que pour plus pauvres qu'eux. Et tous ceux qui boufferont leur pain. Arabes, Noirs, Jaunes. Jamais contre les riches. On savait déjà ce qu'ils seraient. Peu de chose. Dans le meilleur des cas, les garçons chauffeurs de taxi, comme papa. Et la fille, shampouineuse. Ou vendeuse à Prisunic. Des Français moyens. Des citoyens de la peur.

— Ils sont beaux, dis-je hypocritement. Bon, vous me racontez. Qui conduisait votre taxi ?

— Que je vous explique. J'ai un ami, Toni, enfin un copain. Parce que, vé, on est pas intimes, vous comprenez. Y fait équipe avec le groom du Frantel. Charly. Y lèvent des gogos. Des hommes d'affaires. Des genres cadres. Tout ça. Toni, y met le taxi à leur disposition pour la soirée. Y les emmène dans des restaurants chicos, des boîtes où qu'y a pas d'embrouilles. Y s'les termine chez les putes. Des bonnes, vé ! Celles qu'ont un petit studio...

Je lui offris une cigarette. Il se sentit plus à l'aise. Il cessa de transpirer.

— Et à des tables de jeu, où ça mise gros, je parie ?

— Ouais. Fan ! Y en a de super-belles. Té ! c'est comme les putes. Savez c'qu'y z'aiment, ces gus. L'exotique. S'taper des crouilles, des négresses, des Viets. Mais des propres, hein. Même que des fois, y s'font un cocktail.

Il devenait intarissable. Ça le rendait important de me raconter. Et puis ça l'excitait. Il devait se faire payer en putes, quelquefois.

— Vous, vous prêtez le taxi.

— Voilà. Y m'paye, et moi je glande. J'fais une belote avec les potes. J'vais à l'OM, si ça joue. Je déclare que c'qu'y a au compteur. Tout bénef. Et c'est conséquent. Toni, y marge sur tout. Les gogos, les restos, les boîtes, les putes. Tout ça quoi.

— Ça vous arrive souvent ?

— Deux, trois fois dans le mois.

— Et vendredi soir.

Il fit oui de la tête. Comme un escargot baveux, il

réintégra sa coquille. On revenait à quelque chose qui ne lui plaisait pas. La peur reprenait le dessus. Il savait qu'il en disait trop et qu'il n'en avait pas encore assez dit.

— Ouais. M'l'avait demandé.

— Ce que je comprends pas, Sanchez, c'est qu'il transportait pas des gogos votre copain. Mais deux tueurs.

J'allumai une autre cigarette, sans lui en proposer cette fois. Je me levai. Je sentais la douleur revenir. Des tiraillements. Accélère, je me dis. Je regardai par la fenêtre. Le port, la mer. Les nuages se levaient. Une lumière incroyable irradiait l'horizon. De l'écouter parler des putes me fit penser à Marie-Lou. Aux coups qu'elle avait reçus. À son mac. Aux clients qu'elle recevait. Est-ce qu'elle était dans un de ces circuits? Lâchée dans des partouzes de porcs friqués? « Avec ou sans oreiller? » demandait-on dans certains hôtels, spécialisés dans les colloques et séminaires, lors de la réservation.

La mer était argentée. Que pouvait faire Marie-Lou chez moi, à cet instant? Je n'arrivais pas à l'imaginer. Je n'arrivais plus à imaginer une femme chez moi. Un voilier prenait le large. Je serais bien allé à la pêche. Pour ne plus être là. J'avais besoin de silence. Marre d'écouter des histoires à la con depuis ce matin. Mourrabed. Sanchez, son copain Toni. Toujours la même saloperie humaine

— Alors, Sanchez, je dis en m'approchant de lui. Comment t'expliques ça?

Le tutoiement le fit sursauter. Il devina qu'on entrait dans la seconde mi-temps.

— Ben, vé, je m'explique pas. Y a jamais eu d'engatse.

— Écoute, je dis en me rasseyant. T'as une famille. De beaux gosses. Une chouette femme, sans doute. Tu les aimes. Tu y tiens. T'as envie de ramener un peu plus de fric. Je comprends. Tout le monde en est là. Mais maintenant t'es dans une sale histoire. T'es comme acculé dans une impasse. T'as pas beaucoup de solutions. Faut que tu craches. Le nom, l'adresse de ton copain Toni. Tout ça, quoi.

Il savait qu'on en arriverait là. Il se remit à transpirer et ça m'écœura. Des auréoles étaient apparues sous ses bras. Il se fit suppliant. Je n'eus plus aucune sympathie pour lui. Il me dégoûtait. J'aurais même honte de lui tirer une claque.

— C'est qu'j'sais pas. Je peux fumer ?

Je ne répondis pas. J'ouvris la porte du bureau et fis signe au planton de venir.

— Favier, embarque-moi ce type.

— J'vous jure. J'sais pas.

— Sanchez, tu veux que j'y croie à ton Toni ? Dis-moi où le trouver. Sinon, qu'est-ce que tu veux que j'en pense, moi ? Hein ? Que tu te fous de ma gueule. Voilà, ce que j'en pense.

— J'sais pas. J'le vois jamais. J'ai même pas son téléphone. Y m'fait bosser, c'est pas l'inverse. Quand y m'veut, y m'appelle.

— Comme une pute, quoi.

Il ne releva pas. Ça sentait le roussi, devait-il se dire. Sa petite tête se cherchait une issue.

— Y m'laisse des messages. Au Bar de l'Hôtel de Ville. Appelez Charly, au Frantel. 'Pouvez lui demander. Vé ! P't-être qui sait, lui.

— Charly on verra plus tard. Embarque-le, dis-je à Favier.

Favier l'attrapa sous le bras. Énergiquement. Il le mit debout. Sanchez commença à chialer.

— 'Tendez. Il a quelques habitudes. Y prend l'apéro, chez Francis, sur la Canebière. Des fois, il mange au Mas, le soir.

Je fis un signe à Favier, il lui lâcha le bras. Sanchez s'affala sur la chaise, comme une merde.

— Voilà qui est bien, Sanchez. Enfin on peut s'entendre. Tu fais quoi ce soir ?

— Ben, j'ai le taxi. Et…

— Tu te pointes vers sept heures chez Francis. Tu t'installes. Tu te bois une bière. Tu mates les femmes. Et quand ton pote arrive, tu lui dis bonjour. Je serai là. Pas d'entourloupes, sinon je sais où te trouver. Favier va te reconduire.

— Merci, pleurnicha-t-il.

Il se leva en reniflant et se dirigea vers la porte.

— Sanchez ! Il s'immobilisa, baissa la tête. Je vais te dire ce que je crois. Ton Toni, il a jamais conduit ton taxi. Sauf vendredi soir. Je me trompe ?

— Ben…

— Ben quoi, Sanchez ? T'es qu'un foutu menteur. T'as intérêt à pas m'avoir bluffé, avec Toni. Sinon, tu peux dire adieu à ton taxi.

— S'cusez. Je voulais pas…

— Quoi ? Dire que tu marges chez les voyous ? T'as palpé combien vendredi ?

— Cinq. Cinq mille.

— Vu à quoi il a servi, ton taxi, tu t'es vachement fait mettre, si tu veux mon avis.

Je fis le tour de mon bureau, ouvris un tiroir et en sortis un petit magnétophone. J'appuyai sur une touche au hasard. Je lui montrai.

— Tout est là. Alors oublie pas, ce soir.

— J'y serai.

— Encore une chose. Pour tout le monde, ta boîte, ta femme, tes copains… le feu rouge, c'est réglé. Les flics sont sympa, et tout et tout.

Favier le poussa hors du bureau et referma la porte derrière lui, en me faisant un clin d'œil. J'avais une piste. Enfin quelque chose à ruminer.

J'étais couché. Sur le lit de Lole. J'y étais allé instinctivement. Comme samedi matin. J'avais envie d'être chez elle, dans son lit. Comme dans ses bras. Et je n'avais pas hésité. J'imaginai un instant que Lole m'ouvrait sa porte et me faisait entrer. Elle préparerait un café. Nous parlerions de Manu, d'Ugo. Du temps passé. Du temps qui passe. De nous, peut-être.

L'appartement baignait dans la pénombre. Il était frais et avait conservé son odeur. Menthe et basilic. Les deux plants manquaient d'eau. Je les avais arrosés. C'est la première chose que je fis. Je m'étais ensuite déshabillé et j'avais pris une douche, presque froide. Puis j'avais mis le réveil à deux heures et je m'étais allongé dans les draps bleus, épuisé. Avec le regard de Lole sur moi. Son regard quand son corps glissa sur le mien. Des millénaires d'errance y brillaient, noirs comme l'anthracite. Elle avait la légèreté de la poussière des chemins. Cherche le vent, tu trouveras la poussière, disaient ses yeux.

Je ne dormis pas longtemps. Un quart d'heure.

Trop de choses s'agitaient dans ma tête. Nous avions tenu une petite réunion avec Pérol et Cerutti. Dans mon bureau. La fenêtre était grande ouverte, mais il n'y avait pas d'air. Le ciel s'était de nouveau assombri. Un orage aurait été le bienvenu. Pérol avait rapporté des bières et des sandwiches. Tomates, anchois, thon. Ce n'était pas simple à manger, mais c'était quand même meilleur que l'infect jambon-beurre habituel.

— On a pris la déposition de Mourrabed, puis on l'a ramené ici, résuma Pérol. Cet après-midi, on le confronte au type qu'il a bousillé. On va se le garder quarante-huit heures. Peut-être qu'on va trouver, pour le faire vraiment plonger.

— Et la gamine ?

— Elle est là aussi. On a averti sa famille. Son frère aîné vient la chercher. Il prend le T. G. V. de 13h30. C'est con pour elle. Elle va se retrouver en Algérie vite fait.

— T'avais qu'à la laisser se tirer.

— Ouais. Et on l'aurait ramassée clamsée dans une cave dans un mois ou deux, dit Cerutti.

Ces mômes, leur vie elle commençait à peine, que c'était déjà une impasse On faisait le choix pour eux. Entre deux pires, où était le meilleur ? Cerutti me regardait à la dérobée. Tant d'acharnement sur Mourrabed l'étonnait. Depuis un an qu'il était dans l'équipe, il ne m'avait jamais connu comme cela. Mourrabed ne méritait aucune pitié. Il était toujours prêt au pire. Cela se voyait dans ses yeux. De plus, il se sentait protégé par ceux qui le fournissaient. Oui, j'avais envie qu'il tombe. Et je voulais que ce soit là, maintenant. Peut-être pour me convaincre que j'étais encore capable de mener une enquête, de la faire aboutir. Cela me rassurerait quant à mes possibilités d'aller jusqu'au bout pour Ugo. Et, qui sait, pour Leila.

Il y avait autre chose. Je voulais croire à nouveau à mon boulot de flic. J'avais besoin de garde-fou. De règles, de codes. Et de les énoncer, pour pouvoir m'y tenir. Chaque pas que je ferai m'éloignerait de la loi. J'en étais conscient. Déjà je ne raisonnais plus en flic. Ni pour Ugo, ni pour Leila. J'étais porté par ma jeunesse perdue. Tout mes rêves étaient sur ce versant de ma vie. Si j'avais encore un avenir, c'est vers là qu'il fallait que je retourne.

J'étais comme tous les hommes qui tanguent vers la cinquantaine. À me demander si la vie avait répondu à mes espérances. Je voulais répondre oui, et il me restait peu de temps. Pour que ce oui ne soit pas un mensonge. Je n'avais pas, comme la plupart des hommes, la possibilité de faire un autre môme à une femme que je ne désirais plus, pour tromper ce mensonge. Donner le change. Dans tous les domaines c'était monnaie courante. J'étais seul, et la vérité, j'étais bien obligé de la regarder en face. Aucun miroir ne me dirait que j'étais bon père, bon époux. Ni bon flic.

La chambre semblait avoir perdu de sa fraîcheur. Derrière les persiennes, je devinais l'orage toujours menaçant. L'air était de plus en plus lourd. Je fermai les yeux. Peut-être allais-je me rendormir ? Ugo était allongé sur l'autre lit. Nous les avions poussés sous le ventilateur. C'était le milieu d'après-midi. Le moindre mouvement nous tirait des litres de transpiration. Il avait loué une petite chambre, place Ménélik. Il était arrivé à Djibouti, trois semaines plus tôt, sans avertir. J'avais pris quinze jours de permission et nous avions filé au Harar rendre hommage à Rimbaud et aux princesses déchues d'Éthiopie.

— Alors, sergent Montale, t'en dis quoi ?

Djibouti était un port franc. Il y avait des tas d'affaires à réaliser. On pouvait acheter des bateaux, des yacht, à un tiers de leur prix. On en remontait un jusqu'en Tunisie, et on le revendait le double. Mieux, on le remplissait d'appareils photo, de caméras, de magnétophones, et on les écoulait auprès des touristes.

— J'ai encore trois mois à tirer, et puis je rentre.

— Et après ?

— Après, merde, j'en sais encore rien !

— Tu verras, c'est encore pire qu'avant. Si je n'étais pas parti, j'aurais tué. Un jour ou l'autre. Pour bouffer. Pour vivre. Le bonheur qu'ils nous préparent, non merci. Je crois pas à ce bonheur. Ça pue trop. Le mieux, c'est de ne plus revenir. Moi, je reviendrai plus. Il tira sur sa Nationale, pensif, et ajouta : Je suis parti, je reviendrai plus. Toi, t'as bien compris ça.

— J'ai rien compris, Ugo. Rien du tout. J'ai eu honte. De moi. De nous. De ce qu'on faisait. J'ai juste trouvé un truc pour couper les ponts. J'ai pas envie de replonger.

— Et tu vas faire quoi ? Je haussai les épaules. Me dis pas que tu vas rempiler avec ces enculés ?

— Non. J'ai assez donné.

— Alors ?

— J'en sais rien, Ugo. J'ai plus envie de coups foireux.

— Et ben, va te faire mettre chez Renault ! Eh Ducon !

Il s'était levé furieux. Il disparut sous la douche. Ugo et Manu s'aimaient comme des frères. Jamais je n'avais pu me glisser intimement entre eux. Mais Manu était bouffé par sa haine du monde. Il ne voyait plus rien. Même plus la mer, où naviguaient encore nos rêves d'adolescents. Pour Ugo, c'était trop. Il s'était tourné vers moi. Au fil des ans, une belle complicité s'était établie entre nous. Malgré nos différences, nous avions les mêmes délires.

Ma « fuite », Ugo l'avait comprise. Plus tard. Confronté à un autre braquage violent. Il avait quitté Marseille, renoncé à Lole, sûr que je le suivrais. Pour renouer avec nos lectures, avec nos rêves. La mer rouge, pour nous, était la vraie case de départ de toute aventure. Ugo était venu jusqu'ici pour ça. Mais je ne souhaitais pas le suivre là où il voulait aller. Je n'avais ni le goût, ni le courage de ces aventures-là.

J'étais rentré. Ugo était parti à Aden, sans un mot d'adieu. Manu me revit sans plaisir. Lole sans passion excessive. Manu était dans de sales histoires. Lole serveuse au Cintra, un bar sur le Vieux-Port. Ils vivaient dans le retour d'Ugo. Chacun avec des aventures amoureuses, qui les rendaient étrangers l'un à l'autre. Manu aimait par désespoir. Chaque femme nouvelle l'éloignait de Lole. Lole aimait comme on respire. Elle partit vivre à Madrid, deux ans, revint à Marseille, repartit pour s'installer en Ariège, chez des cousins. À chaque retour, Ugo n'était pas au rendez-vous.

Il y a trois ans, Manu et elle s'installèrent à l'Estaque, pour vivre ensemble. Pour Manu cela arrivait trop tard. Le dépit avait dû le pousser à cette décision. Ou la peur de voir repartir Lole, et de se retrouver seul. Avec ses rêves perdus. Et sa haine. Moi, j'avais galéré pendant des mois et des mois. Ugo avait raison. Il fallait se conformer. Se tirer ailleurs. Ou tuer. Mais je n'étais pas un tueur. Et j'étais devenu flic. Et merde ! me dis-je, furieux de ne pas dormir.

Je me levai, préparai un café et allai prendre une nouvelle douche. Je restai nu pour boire mon café. Je mis un disque de Paolo Conte, et m'assis dans le fauteuil.

Guardate dai treni in corsa...

Bon, j'avais une piste. Toni. Le troisième homme. Peut-être. Comment ces types avaient-ils coincé Leila ? Où ? Quand ? Pourquoi ? À quoi ça me servait de poser ces questions ? Ils l'avaient violée, puis tuée. La réponse aux questions, c'était ça. Elle était morte. Pourquoi se poser la question. Pour comprendre. Il me fallait toujours comprendre. Manu, Ugo, Leila. Et Lole. Et tous les autres. Mais aujourd'hui, y avait-il encore des choses à comprendre ? N'était-on pas tous en train de se taper la tête contre les murs ? Parce que les réponses n'existaient plus. Et que les questions ne conduisaient nulle part.

Come di come di
La comédie d'un jour, la comédie d'la vie

Batisti me mènerait où ? Au-devant des emmerdes. Ça, c'était sûr. Est-ce qu'il y avait un lien entre la mort de Manu et celle d'Ugo ? Un lien autre que celui d'Ugo venant venger Manu ? Qui avait intérêt à faire tuer Zucca ? Un clan marseillais. Je ne voyais que ça.

Mais qui ? Que savait Batisti ? De quel côté était-il ? Jusqu'à présent, il n'avait jamais pris parti. Pourquoi l'aurait-il fait maintenant ? À quoi rimait la mise en scène de l'autre soir ? L'exécution d'Al Dakhil par deux tueurs, puis celle de ses tueurs par les flics d'Auch. Toni dans la combine ? Couvert par les flics ? Tenu par Auch à cause de ses combines ? Et comment ces types avaient-ils levé Leila ? Retour à la case départ.

Ecco quello che io ti daro,
e la sensualità delle vite disperate...

La sensualité des vies désespérées. Il n'y a que les poètes pour parler ainsi. Mais la poésie n'a jamais répondu de rien. Elle témoigne, c'est tout. Du désespoir. Et des vies désespérées. Et qui m'avait cassé la gueule ?

Bien sûr, j'arrivai en retard à l'enterrement de Leila. Je m'étais perdu dans le cimetière à la recherche du carré musulman. On était ici dans les nouvelles extensions, loin du vieux cimetière. J'ignorais si à Marseille on mourait plus qu'ailleurs, mais la mort s'étendait à perte de vue. Toute cette partie était sans arbre. Des allées, hâtivement goudronnées. Des contre-allées de terre battue. Des tombes en enfilades. Le cimetière respectait la géographie de la ville. Et on était là comme dans les quartiers Nord. La même désolation.

Je fus surpris par le monde. La famille de Mouloud. Des voisins. Et beaucoup de jeunes. Une cinquantaine. Des Arabes, pour la plupart. Des visages qui ne m'étaient pas inconnus. Croisés dans la cité. Deux ou trois étaient même passés au commissariat pour une connerie. Deux blacks. Huit Blancs, jeunes aussi, garçons et filles. Près de Driss et Kader, je reconnus les deux copines de Leila, Yasmine et Karine. Pourquoi ne les avais-je pas appelées ? Je fonçais tête baissée sur une piste et négligeais d'interroger ses proches amies. Je n'étais pas cohérent. Mais je ne l'avais jamais été.

À quelques pas derrière Driss, Mavros. C'était vraiment un chic type. Avec Driss, il irait jusqu'au bout. Pas seulement dans la boxe. Dans l'amitié. Boxer, ce n'est pas seulement cogner. C'est, d'abord, apprendre à recevoir des coups. À encaisser. Et que ces coups fassent le moins mal possible. La vie n'était rien d'autre qu'une succession de rounds. Encaisser, encaisser. Tenir, ne pas plier. Et taper au bon endroit, au bon moment. Mavros, il lui apprendrait tout ça, à Driss. Il le trouvait bon. C'était même le meilleur qu'il avait avec lui à la salle. Il lui transmettrait tout son savoir. Comme à un fils. Avec les mêmes conflits. Parce que Driss pourrait être tout ce qu'il n'avait pu être.

Cela me rassurait. Mouloud n'aura plus cette force, ce courage. Si Driss venait à faire une connerie, il démissionnerait. La plupart des parents des mômes que j'avais coincés, ils avaient démissionné. La vie les avaient tellement sacqués, qu'ils refusaient de faire face. Ils fermaient les yeux sur tout. Fréquentations, école, bagarres, fauche, drogue. Des claques, il s'en perdait des millions par jour !

Je me souvenais m'être pointé, cet hiver, à la cité de la Busserine, pour choper un gamin. Le dernier d'une famille de quatre garçons. Le seul qui ne se soit pas tiré, ou qui n'était pas en taule. On l'avait identifié pour avoir fait des braquages de merde. À mille balles maxi. Sa mère nous ouvrit la porte. Elle dit simplement : « Je vous attendais », puis elle éclata en sanglots. Cela faisait plus d'un an qu'il la rackettait pour se payer de la dope. Coups à l'appui. Elle s'était mise à tapiner dans la cité pour pas inquiéter son mari. Lui, il savait tout, mais il préférait fermer sa gueule.

Le ciel était de plomb. Pas un souffle d'air. Du bitume montait une chaleur brûlante. Personne ne tenait immobile sur place. Il serait impossible de rester ici très longtemps. Quelqu'un dut en avoir conscience, car la cérémonie s'accéléra. Une femme se mit à pleurer. Avec de petits cris. Elle était la seule à sangloter. Driss évita mon regard pour la deuxième fois. Pourtant, il m'épiait. Un regard sans haine, mais chargé de mépris. Il m'avait retiré son respect. Je n'avais pas été à la hauteur. Ni comme mec, j'aurais dû aimer sa sœur. Ni comme flic, j'aurais dû la protéger.

Quand mon tour arriva d'embrasser Mouloud, je me sentis déplacé. Mouloud avait deux grands trous rouges à la place des yeux. Je le serrai contre moi. Mais je n'étais plus rien pour lui. Qu'un mauvais souvenir. Celui qui lui avait dit d'espérer. Qui avait fait battre son cœur. Sur le chemin du retour, Driss traîna à l'arrière avec Karine, Jasmine et Mavros pour ne pas se trouver avec moi. J'avais échangé quelques mots avec Mavros, mais le cœur n'y était pas. Je m'étais retrouvé seul.

Kader passa son bras autour de mes épaules.

— Le père, il parle plus. T'en fâche pas. Il est comme

ça avec nous aussi. Faut le comprendre. Driss, il lui faudra du temps. Il me serra l'épaule. Elle t'aimait, Leila.

Je ne répondis rien. Je ne voulais pas engager une discussion sur Leila. Ni sur Leila, ni sur l'amour. On marcha côte à côte, en silence. Puis il dit :

— Comment qu'elle a pu se faire embarquer par ces types ?

Toujours cette question. Quand on est une fille, qu'on est arabe, et qu'on a vécu dans la banlieue, on ne monte pas dans n'importe quelle bagnole. À moins d'être tarée. Leila, elle, avait les pieds sur terre. Or la Panda n'était pas en panne. Kader l'avait ramenée de la cité universitaire, avec les affaires de Leila. Donc, quelqu'un était venu la chercher. Elle était partie avec lui. Quelqu'un qu'elle connaissait. Qui ? Je l'ignorais. J'avais le début. Et la fin. Trois violeurs selon moi. Dont deux étaient morts. Le troisième, est-ce que c'était Toni ? Ou quelqu'un d'autre ? Est-ce que c'était cet homme-là que Leila connaissait ? Qui était venu la chercher ? Pourquoi ? Mais je ne pouvais livrer mes réflexions à Kader. L'enquête était close. Officiellement.

— Le hasard, je dis. Un mauvais hasard ?

— T'y crois toi, au hasard ?

Je haussai les épaules.

— J'ai pas d'autres réponses. Personne n'en a. Les mecs sont morts et…

— T'aurais préféré quoi, toi ? Pour eux ? La taule, tout ça ?

— Ils ont ce qu'ils méritent. Mais les avoir en face de moi, vivants, j'aurais bien aimé, oui.

— J'ai jamais compris que tu pouvais être flic.

— Moi non plus. Ça s'est fait comme ça.

— Ça s'est mal fait, je crois.

Yasmine nous rejoignit. Elle glissa son bras sous celui de Kader, et se serra légèrement contre lui. Tendrement. Kader lui sourit. Un sourire amoureux.

— Tu restes encore combien ? je demandai à Kader.

— J'sais pas. Cinq, six jours. P't-être je rest'rai moins. J'sais pas. Y a l'magasin. L'oncle y peut plus s'en occuper. Y veut m'le laisser.

— C'est bien.

— Faut aussi qu'j'voie le père de Yasmine. P't'être qu'on remont'ensemble, tous les deux.

Il sourit, puis il la regarda.

— Je savais pas.

— Nous non plus, on savait pas, dit Yasmine. On savait pas avant, quoi. C'est de pas se voir, qu'on a su.

— Tu viens à la maison ? dit Kader.

Je secouai la tête.

— C'est pas ma place, Kader. Tu le sais, non ? Plus tard, j'irai voir ton père. J'eus un regard pour Driss, toujours à traîner derrière moi. Et Driss, rassure-toi, je le quitte pas des yeux. Mavros non plus, il va pas le lâcher. Il acquiesça de la tête. M'oubliez pas, pour le mariage !

Il ne restait plus qu'à leur offrir un sourire. Je souris, comme j'ai toujours su le faire.

9

Où l'insécurité ôte toute sensualité aux femmes.

Il avait fini par pleuvoir. Un orage violent, et bref. Rageur même, comme Marseille en connaît parfois en été. Il ne faisait guère plus frais, mais le ciel s'était enfin dégagé. Il avait retrouvé sa limpidité. Le soleil lapait l'eau de pluie à même les trottoirs. Une tiédeur s'en élevait. J'aimais cette odeur.

J'étais assis à la terrasse de chez Francis, sous les platanes des allées de Meilhan. Il était presque sept heures. Déjà la Canebière se vidait. Dans quelques instants, tous les magasins descendraient leur grille. Et la Canebière deviendrait un lieu mort. Un désert où ne circuleraient plus que des groupes de jeunes Arabes, des C. R. S. et quelques touristes égarés.

La peur des Arabes avait fait fuir les Marseillais vers d'autres quartiers plus excentrés, où ils se sentaient en sécurité. La place Sébastopol, les boulevards de la Blancarde et Chave, l'avenue Foch, la rue Monte-Cristo. Et, plus à l'est, la place Castelane, l'avenue Cantini, le boulevard Baille, l'avenue du Prado, le boulevard Périer, et les rues Paradis et Breteuil.

Autour de la place Castelane, un immigré se remarquait comme un cheveu sur la soupe. Dans certains bars, la clientèle, lycéenne et étudiante, très bcbg, puait tellement le fric que, même moi, je me sentais déplacé. Ici, il était rare qu'on boive au comptoir, et le pastis était servi dans de grands verres, comme à Paris.

Les Arabes s'étaient regroupés au centre, eh bien, on le leur avait laissé. Avec dégoût pour le cours Belzunce et la rue d'Aix, et toutes les rues, étroites, lépreuses, qui allaient de Belzunce aux allées de Meilhan ou à la gare Saint-Charles. Des rues à putes. Aux immeubles insalubres et aux hôtels pouilleux. Toutes les migrations avaient transité par ces rues. Jusqu'à ce qu'une rénovation les refoule en périphérie. Une nouvelle rénovation était en cours, et la périphérie était aux limites de la ville. À Septèmes-les-Vallons. Vers les Pennes-Mirabeau. Loin, toujours plus loin. Hors de Marseille.

Un à un les cinémas avaient fermé, puis les bars. La Canebière n'était plus qu'une monotone succession de magasins de fringues et de chaussures. Une grande friperie. Avec un seul cinéma, le Capitole. Un complexe de sept salles, à clientèle arabe jeune. Gros bras à l'entrée, gros bras à l'intérieur.

Je finis mon pastis et en commandai un autre. Un vieux pote, Corot, le pastis, il ne l'appréciait qu'au troisième. Le premier, tu le bois par soif. Le deuxième, ben tu commences à y trouver du goût. Au troisième, t'apprécies enfin ! Il y a encore trente ans, la Canebière, on venait s'y promener le soir, après le repas. On rentrait, on prenait une douche, on dînait puis on mettait des habits propres et on allait sur la Canebière. Jusqu'au port. On descendait sur le trottoir de gauche, et on remontait par l'autre trottoir. Sur le Vieux-Port, chacun avait ses habitudes. Certains poussaient jusqu'au bassin du carénage, après la criée aux poissons. D'autres vers la Mairie et le Fort Saint-Jean. En mangeant des glaces à la pistache, au coco, ou au citron.

Avec Manu et Ugo, on était des habitués de la Canebière. Comme tous les jeunes, on venait là pour se faire voir. Sapés comme des princes. Pas question de traîner en espadrilles ou en tennis. On mettait nos plus belles pompes, des *italiennes* de préférence, qu'on faisait cirer à mi-chemin, au coin de la rue des Feuillants. La Canebière, on la descendait et on la remontait au moins deux fois. C'est là qu'on draguait.

Les filles allaient souvent par groupes de quatre ou cinq. Bras-dessus, bras-dessous. Elles marchaient lentement, sur leurs talons aiguilles, mais sans tortiller du cul comme à Toulon. Leur démarche était simple, avec cette langueur qui ne s'acquiert qu'ici. Elles parlaient et riaient fort. Pour qu'on les remarque. Pour qu'on voie qu'elles étaient belles. Et belles, elles l'étaient.

Nous, on les suivait une dizaine de pas en arrière, en faisant des commentaires, suffisamment forts pour qu'elles entendent. À un moment, l'une d'elles se retournait, et lâchait : « Vé, mais tu l'as vu çui-là ! Il se prend quoi, ce bellastre ? Pour Raf Vallone ! » Elles éclataient de rire. Se retournaient. Riaient de plus belle. C'était gagné. Arrivés place de la Bourse, la conversation était engagée. Quai des Belges, il ne nous restait plus qu'à mettre la main à la poche, pour payer les glaces. Chacun la sienne. Ça se faisait comme ça. Au regard et au sourire. Une histoire qui tenait, au mieux, jusqu'au dimanche soir, après d'interminables slows dans la pénombre des Salons Michel, rue Montgrand.

Des Arabes, à cette époque, il n'en manquait déjà pas. Ni des Noirs. Ni des Viets. Ni des Arméniens, des Grecs, des Portugais. Mais cela ne posait pas de problème. Le problème, c'en était devenu un avec la crise économique. Le chômage. Plus le chômage augmentait, plus on remarquait qu'il y avait des immigrés. Et les Arabes, c'était comme s'ils augmentaient avec la courbe du chômage ! Les Français avaient bouffé tout leur pain blanc pendant les années soixante-dix. Mais leur pain noir, ça, ils voulaient le bouffer seuls. Pas question qu'on vienne leur en piquer une miette. Les Arabes, c'est ça qu'ils faisaient, ils volaient la misère dans nos assiettes !

Les Marseillais ne pensaient pas vraiment ça, mais on leur avait filé la peur. Une peur vieille comme l'histoire de la ville, mais que, cette fois-ci, ils avaient un mal fou à surmonter. La peur les empêchait de penser. De se repenser, une nouvelle fois.

Toujours pas de Sanchez en vue. 7 heures 10. Qu'est-ce qu'il foutait, ce con ? Ça ne m'ennuyait pas, d'attendre, là, sans rien faire. Ça me détendait. Seul regret, les femmes n'avaient qu'une hâte, rentrer chez elles. Une mauvaise heure pour les regarder passer.

Elles marchaient d'un pas pressé. Leur sac serré sur leur ventre. Les yeux baissés. L'insécurité leur ôtait toute sensualité. Elles la retrouveraient le lendemain, à peine montées dans le bus. Avec ce regard franc que je leur aimais. Une fille, ici, si elle te plaît et que tu la regardes, elle ne baisse pas les yeux. Même si tu ne la dragues pas, tu as intérêt à profiter de ce qu'elle te donne à voir, sans détourner les yeux. Sinon, elle te fait un scandale, surtout s'il y a du monde autour.

Un Golf GTI décapotable, blanche et verte, ralentit, grimpa sur le trottoir entre deux platanes et s'arrêta. Musique à fond. Quelque chose d'aussi indigeste que Withney Houston ! Le chauffeur vint droit vers moi. Dans les vingt-cinq ans. Belle gueule. Pantalon de toile blanche, veste légère à petites rayures bleues et blanches, chemise bleu foncé. Cheveux mi-longs, mais bien coupés.

Il s'assit en me regardant droit dans les yeux. Il croisa ses jambes, en remontant légèrement son pantalon pour ne pas en casser le pli. Je remarquai sa chevalière et sa gourmette. Une gravure de mode, aurait dit ma mère. Un vrai maquereau, pour moi.

— Francis ! Une mauresque ! cria-t-il.

Et il alluma une cigarette. Moi aussi. J'attendais qu'il parle, mais il ne dirait rien tant qu'il n'aurait pas bu. Une vraie attitude de cacou. Je savais qui il était. Toni. Le troisième homme. L'un des types qui avaient peut-être tué Leila. Qui l'avaient aussi violée. Mais lui, il ignorait que je pensais cela. Il ne croyait être, pour moi, que le chauffeur du taxi de la place de l'Opéra. Il avait l'assurance du type qui ne risquait rien. Qui avait des protections. Il but une gorgée de sa mauresque, puis me fit un grand sourire. Un sourire carnassier.

— Tu voulais me rencontrer, on m'a dit.

— J'espérais des présentations.

— Finasse pas. J'suis Toni. Sanchez, il bave trop.

Et il mouille devant n'importe quel flicard. Facile de lui faire raconter des choses.

— Toi t'as les couilles plus accrochées ?

— Moi, je t'emmerde ! Ce qu'tu sais de moi ou rien, c'est pareil. Toi, t'es rien. T'es juste bon à balayer la merde chez les crouilles. Et encore, paraît qu't'y brilles pas des masses. Là où tu mets les pieds, c'est pas ta place. J'ai quelques copains dans ta maison. Y pensent que si tu changes pas de trottoir, faudra t'casser les quilles. Le conseil y t'vient d'eux. Et j'm'associe en plcin. Clair ?

— Tu me fais peur.

— Rigole Ducon ! J'pourrais t'aligner qu'ça ferait pas une vague.

— Quand un connard se fait étendre, ça fait jamais de vague. C'est bon pour moi. Et pour toi aussi. Si je te plombe, tes copains prendront ta doublure.

— Mais ça n'arrivera pas.

— Pourquoi ? Tu m'auras tiré dans le dos avant ?

Ses yeux se voilèrent légèrement. Je venais de dire une connerie. Ça me brûlait de lui lâcher que j'en savais plus qu'il ne le croyait. Mais je ne le regrettais pas. J'avais touché juste. J'ajoutai, pour me rattraper :

— T'as une tête à ça, Toni.

— C'que tu penses, je me le mets au cul ! Oublie pas ! Le conseil y en aura qu'un, pas deux. Et oublie Sanchez.

Pour la deuxième fois en quarante-huit heures, on me menaçait. D'un conseil, pas de deux. Avec Toni, c'était moins douloureux que la nuit dernière, mais tout aussi humiliant. J'eus envie de lui tirer une balle dans le ventre, là sous la table. Juste pour calmer ma haine.

Mais je n'allais pas buter ma seule piste. Et de toute façon, je n'avais pas d'arme sur moi. J'emportais rarement mon arme de service. Il finit sa mauresque, comme si de rien n'était, et se leva. Il me jeta un regard à faire peur. Je le pris pour argent comptant. Ce type était un vrai tueur. Peut-être qu'il devenait nécessaire que je me balade armé.

Toni s'appelait Antoine Pirelli. Il habitait rue Clovis Hugues. À la Belle-de-Mai, derrière la gare Saint-Charles. Historiquement, le plus vieux quartier populaire de Marseille. Un quartier ouvrier, rouge. Autour du boulevard de la Révolution, chaque nom de rue salue un héros du socialisme français. Le quartier avait enfanté des syndicalistes purs et durs, des militants communistes par milliers. Et de belles brochettes de truands. Francis le Belge était un enfant du quartier. Aujourd'hui, ici, on votait presque à égalité pour les communistes et le Front national.

À peine rentré au bureau, j'étais allé vérifier l'immatriculation de sa Golf. Toni n'était pas fiché. Cela ne me surprit pas. S'il l'avait été, ce dont j'étais sûr, quelqu'un avait fait le ménage. Mon troisième homme avait un visage, un nom et une adresse. Tous risques courus, c'était une bonne journée.

J'allumai une cigarette. Je n'arrivais pas à quitter le bureau. Comme si quelque chose m'y retenait. Mais je ne savais quoi. Je repris le dossier Mourrabed. Je relus son interrogatoire. Cerutti l'avait complété. Mourrabed ne louait pas l'appartement. Il était au nom de Raoul Farge, depuis un an. Le loyer était payé en espèces tous les mois. Et régulièrement. Ce qui était inhabituel dans les cités. Cerutti trouvait ça anormal, mais il était arrivé trop tard pour trouver son dossier à l'Office d'HLM. Les bureaux fermaient à cinq heures. Il se proposait d'y aller demain matin.

Bon travail, je me dis. Par contre, c'était le bide complet côté dope. On n'avait rien trouvé dans l'appartement, ni dans la bagnole. Elle devait bien être quelque part. Pour une bagarre, même saignante, on ne pourrait pas obtenir la mise en examen de Mourrabed. On serait obligé de le relâcher.

C'est en levant les yeux que j'eus le déclic. Au mur, il y avait une vieille affiche. La route des vins en Bourgogne. Et dessous. Visitez nos caves. La cave ! Bordel de merde ! C'était certainement dans la cave que Mourrabed la planquait, cette putain de dope. J'appelai la fréquence radio. Je tombai sur Reiver, l'Antillais. Je croyais l'avoir mis en service de jour, celui-là. Cela m'irrita.

— T'es de nuit, toi !

— Je remplace Loubié. L'a trois mioches. Moi, suis célibataire. Pas même une nana qui m'attend. C'est plus juste comme ça. Non ?

— OK. Fonce cité Bassens. Tu te renseignes si les immeubles ont des caves. Je bouge pas.

— Y en a, il répondit.

— Comment tu sais ça ?

— Bassens, je connais.

Le téléphone sonna. C'était Ange, des Treize-Coins. Djamel était passé deux fois. Il revenait dans une quinzaine de minutes.

— Reiver, je dis. Reste dans le secteur. J'arrive. Dans une heure à tout casser.

Djamel était au comptoir. Une bière devant lui. Il portait un tee-shirt rouge avec l'inscription « Charly pizza » en noir.

— T'avais disparu, je lui dis en m'approchant.

— Je bosse pour Charly. De la place Noailles. J'livre des pizzas. Du pouce, il montra la mobylette garée sur le trottoir. J'ai une nouvelle mob! Choucarde, non?

— C'est bien, je dis.

— Ouais. C'est cool et ça fait un peu d'thune.

— Tu me cherchais l'autre soir?

— J'ai un truc, qu'ça va vous intéresser. Le type qui z'ont dessoudé dans l'passage, ben, il était pas chargé. Le flingue, y z'y ont collé après.

Ça me sonna. Si fort, que mon estomac se raidit. Je sentis la douleur réapparaître au fond du ventre. J'avalai le pastis qu'Ange m'avait servi d'autorité.

— D'où tu tiens ça?

— La mèr'd'un copain. Y z'habitent au-d'ssus du passage. Elle étendait le linge. Elle a tout vu. Mais elle mouftera que dalle, la mèr'. Vos copains y sont passés. Papiers et tout le bordel. La peur qu'elle a. Ce qu'j'vous dis, c'est net.

Il regarda l'heure mais il ne bougea pas. Il attendait. Je lui devais quelque chose et il ne partirait avant. Même pour gagner quelques thunes.

— Ce type, tu sais, il s'appelait Ugo. C'était mon ami. Un ami d'avant. De quand j'avais ton âge.

Djamel opina. Il enregistrait et il fallait que, dans sa tête, ça se place quelque part.

— Ouais. Du temps des conn'ries, vous v'lez dire.

— C'est ça, oui.

Il enregistra à nouveau, en pinçant les lèvres. Pour lui, qu'ils aient fait la peau à Ugo comme ça, c'était dégueulasse. Ugo méritait justice. J'étais la justice. Mais dans la tête de Djamel justice et flic, ça ne collait pas vraiment. J'étais peut-être le copain d'Ugo, mais j'étais aussi un flic, et il avait du mal à l'oublier. Il avait fait un pas vers moi, pas deux. Nous étions encore loin de la confiance.

— M'a paru sympa, votr'copain. Il regarda à nouveau l'heure, puis moi. Y a encore une chose. Hier, que vous me cherchez, deux types y vous filaient. Pas des keufs. Mes potes, y les ont chouffés.

— Ils avaient une moto ?

Djamel secoua la tête.

— Pas l'genre. Des Ritals, qui s'la jouent touristes.

— Des Ritals ?

— Ouais. Y causaient comme ça entre eux.

Il finit sa bière et partit. Ange me resservit un pastis. Je le bus en essayant de ne penser à rien.

Cerutti m'attendait au bureau. On n'avait pas pu joindre Pérol. Dommage. J'étais sûr qu'on allait toucher le gros lot ce soir. On sortit Mourrabed du trou et, menottes aux poignets, toujours en caleçon à fleurs, on l'embarqua avec nous. Il n'arrêtait pas de gueuler, comme si on l'emmenait pour l'égorger dans un coin. Cerutti lui dit de la fermer, sinon il serait obligé de lui tirer des baffes.

On fit le trajet en silence. Auch était-il au courant du maquillage. J'étais arrivé avant lui sur les lieux. Son équipe était là. Enfin presque. Morvan, Cayrol, Sandoz et Mériel. Eux, oui. Une bavure. Ce genre de chose arrivait quelquefois. Une bavure ? Et si ce n'en était pas une ? Armé ou pas, auraient-ils tiré sur Ugo ? S'ils l'avaient suivi dans sa virée chez Zucca, ils devaient supposer qu'il était encore armé.

— Putain ! fit Cerutti. Y a le comité d'accueil !

Devant l'immeuble, une vingtaine de gosses entourait la voiture de Reiver. Toutes ethnies confondues. Reiver était appuyé contre la voiture, les bras croisés. Les mômes tournaient autour, comme des Apaches. Au rythme de Khaled. Le son au maxi. Certains avaient le nez collé à la vitre, pour voir la gueule du coéquipier de Reiver, resté à l'intérieur. Prêt à appeler à l'aide. Reiver, ça n'avait pas l'air de l'inquiéter.

Le soir, qu'on tourne dans les rues, les mômes, ils s'en foutent. Mais qu'on vienne dans la cité, ça les défrise. Surtout en été. Le trottoir, c'est le lieu le plus sympa du coin. Ils causent, ils draguent. Ça fait un peu de bruit, mais pas beaucoup de mal. On s'approcha lentement. J'espérais que c'était des gosses de la cité. On pouvait quand même parler. Cerutti se gara derrière la voiture de Reiver. Quelques gosses s'écartèrent. Comme des mouches, ils vinrent se coller à notre voiture. Je me tournai vers Mourrabed :

— Toi, tu nous fais pas d'incitation à l'émeute ! OK ?

Je descendis et allai vers Reiver. L'air nonchalant.

— Ça va ? je dis, sans m'occuper des gosses autour de nous.

— C'est cool. Pas encore demain qu'y vont me prendre la tête. J'ai averti, le premier qui touche aux pneus, j'les lui fais bouffer. Pas vrai, mec ? dit-il en s'adressant à un grand black maigre, un bonnet rasta vissé sur les oreilles, qui nous observait.

Il ne trouva pas utile de répondre.

— Bon, je dis à Reiver, on y va.

— Cave N488. Y a l'gardien qu'attend. Moi je reste là. J'préfère écouter Khaled. J'aime bien. Il me surprenait, Reiver. Il foutait à terre mes statistiques sur les Antillais. Il dut le deviner. Il désigna un immeuble, en contrebas. J'suis né là, tu vois. J'suis chez moi, ici.

On sortit Mourrabed. Cerutti lui prit le bras pour le faire avancer. Le grand black s'approcha.

— Pourquoi y t'ont pécho, les keufs? dit-il à Mourrabed, nous ignorant ostensiblement.

— À cause d'un pédé.

Six mômes barraient l'entrée de l'immeuble.

— Le pédé, c'est un détail, que je dis. Là, on vient visiter sa cave. Doit y avoir de quoi shooter toute la cité. T'aimes peut-être ça. Nous pas. Pas du tout. Si on trouve rien, on le relâche demain.

Le grand black fit un signe de tête. Les gosses s'écartèrent.

— On t'suit, il dit à Mourrabed.

La cave était un immense foutoir. Caisses, cartons, fringues, pièces détachées de mobylettes.

— Tu nous dis, ou on cherche?

Mourrabed haussa les épaules, l'air las.

— Y a rien. V'trouverez rien.

C'était dit sans conviction. Il ne frimait plus. Pour une fois. Cerutti et les trois autres commencèrent à fouiller. Dans le couloir, ça se bousculait. Les mômes. Des adultes aussi. Tout le bâtiment rappliquait. Régulièrement, la lumière s'éteignait et quelqu'un appuyait sur la minuterie. On avait vraiment intérêt à mettre la main sur le magot.

— Y a pas de dope, dit Mourrabed. Il était devenu très nerveux. Ses épaules s'étaient affaissées, et il baissait la tête. Elle est pas là.

L'équipe s'arrêta de fouiller. Je regardai Mourrabed.

— Elle est pas là, il dit en reprenant un peu d'aplomb.

— Et elle est où, dit Cerutti en s'approchant.

— Là-haut. La colonne du gaz.

— On y va? demanda Cerutti.

— Fouillez encore, je dis.

Mourrabed craqua.

— Putain! Mais y a rien, que j'te dis. C'est là-haut. J'vous montre.

— Ici, il y a quoi?

— Ça! fit Béraud en montrant une mitraillette Thompson.

Il venait d'ouvrir une caisse. Un vrai arsenal. Flingues en tous genres. Munitions pour tenir un siège. Pour un gros lot, c'en était un, avec la super-cagnotte.

En descendant de voiture, je vérifiai que personne ne m'attendait avec un gant de boxe. Mais je n'y croyais pas vraiment. On m'avait filé une bonne leçon. Les emmerdements sérieux seraient pour plus tard. Si je ne me conformais pas aux conseils donnés.

On avait remis Mourrabed au frais. Un petit kilo d'héroïne, en sachets. Du shit pour voir venir. Et douze mille francs. De quoi le faire plonger quelque temps. La possession d'armes compliquerait durement son cas. D'autant que j'avais ma petite idée sur leur utilisation future. Mourrabed n'avait plus desserré les dents. Il s'était contenté de réclamer son avocat. À toutes nos questions, il répondait par un haussement d'épaules. Mais sans faire le fiérot. Il était coincé, gravement. Il se demandait si on arriverait à le tirer de là. On, c'était ceux qui se servaient de la cave pour entreposer les armes. Ceux qui le fournissaient en dope. Et qui étaient peut-être les mêmes.

Quand j'ouvris la porte, la première chose que j'entendis, c'est le rire d'Honorine. Un rire heureux. Puis son bel accent :

— Vé, y doit me faire cocu au paradis ! J'ai encore gagné !

Elles étaient là, toutes les trois. Honorine, Marie-Lou et Babette jouaient au rami sur la terrasse. En fond musical, Petrucciani. *Estate*. Un de ses premiers disques. Ce n'était pas le meilleur. D'autres avaient suivi, plus maîtrisés. Mais celui-là charriait des tonnes d'émotion à l'état brut. Je ne l'avais plus écouté depuis que Rosa était partie.

— Je vous dérange pas, j'espère, dis-je en m'approchant, un peu contrarié.

— Coquin de sort ! Vé ! C'est ma troisième partie, dit Honorine, visiblement excitée.

Je posai un bisou sur chacune des joues, attrapai la bouteille de Lagavulin sur la table, entre Marie-Lou et Babette, et partis à la recherche d'un verre.

— Y a des poivrons farcis, dans la cocotte, lança Honorine. Vous les faites réchauffer, mais lentement. Bon, tu distribues, Babette.

Je souris. Il y a encore quelques jours, cette

maison était la maison d'un célibataire, et maintenant trois femmes y faisaient un rami, à minuit moins dix ! Tout était rangé. Le repas prêt. La vaisselle faite. Sur la terrasse, une lessive séchait. Le rêve de tout homme était devant moi : une mère, une sœur, une prostituée !

Je les entendis glousser dans mon dos. Une douce complicité semblait les unir. Ma mauvaise humeur disparut aussi vite qu'elle était venue. J'étais heureux de les voir là. Je les aimais bien, toutes les trois. Dommage qu'à elles trois, elles ne fassent pas une femme unique, que j'aurais aimée.

— Tu joues ? me dit Marie-Lou.

10

Où le regard de l'autre est une arme de mort.

Honorine avait une manière incomparable de faire des poivrons farcis. À la roumaine, disait-elle. Elle remplissait les poivrons d'une farce de riz, de chair à saucisse et d'un peu de viande de bœuf, bien salée et poivrée, puis elle les déposait dans une cocotte en terre cuite et elle recouvrait d'eau. Elle rajoutait coulis de tomate, thym, laurier et sarriette. Elle laissait cuire à tout petit feu, sans couvrir. Le goût était merveilleux, surtout si, au dernier moment, on versait dessus une cuillerée de crème fraîche.

Je mangeai en les regardant jouer au rami. À 51. Lorsqu'on a cinquante et un points dans son jeu, en tierce, cinquante, cent ou carré, on pose les cartes sur la table. Si un autre joueur a déjà « descendu », on peut rajouter à son jeu les cartes qui lui manquent, qui suivent ou précèdent sa tierce ou son cinquante. On peut également lui prendre son rami, le joker, qu'il a pu poser pour remplacer une carte manquante. Le gagnant est celui qui arrive à se débarrasser de toutes ses cartes.

C'est un jeu simple. Il nécessite cependant pas mal d'attention, si l'on veut gagner. Marie-Lou misait sur le hasard et elle perdait. Le combat était entre

Honorine et Babette. L'une et l'autre surveillaient les cartes dont chacune se défaussait. Mais Honorine avait des après-midi d'expérience de rami et, même si elle faisait l'étonnée quand elle remportait une partie, je la donnais gagnante. Elle jouait pour gagner.

À un moment, mon regard se perdit sur le linge qui séchait. Au milieu de mes chemises, slips et chaussettes, une culotte et un soutien-gorge blancs. Je regardai Marie-Lou. Elle avait enfilé un de mes tee-shirts. Ses seins pointaient sous le coton. Mes yeux remontèrent le long de ses jambes, de ses cuisses. Jusqu'à ses fesses. Je me mis à bander, en réalisant qu'elle était nue sous le tee-shirt. Marie-Lou surprit mon regard et devina mes pensées. Elle me décocha un sourire adorable, me fit un clin d'œil et, un peu gênée, croisa ses jambes.

Il s'ensuivit des échanges de regards. De Babette à Marie-Lou. De Babette à moi. De moi à Babette. D'Honorine à Babette, puis à Marie-Lou. Je me sentis mal à l'aise et me levai pour aller prendre une douche. Sous l'eau, je bandais encore.

Honorine partit vers minuit et demi. Elle avait remporté cinq parties. Babette quatre. Marie-Lou une. En m'embrassant, elle se demanda sans doute ce que j'allais bien pouvoir faire de deux femmes chez moi.

Marie-Lou annonça qu'elle allait prendre un bain. Je ne pus m'empêcher de la suivre des yeux.

— Elle est vraiment très belle, dit Babette avec un léger sourire.

Je hochai la tête.

— Toi aussi.

Et c'était vrai. Elle avait tiré ses cheveux en queue de cheval. Ses yeux paraissaient immenses, et sa bouche plus grande. Malgré ses quarante ans, elle pouvait sans honte s'aligner devant des flopées de minettes. Même Marie-Lou. Elle était jeune. Sa beauté était évidente, immédiate. Celle de Babette irradiante. Le bonheur de vivre préserve, pensai-je.

— Laisse tomber, dit-elle en pointant légèrement sa langue vers moi.

— Elle t'a dit ?

— On a eu le temps de faire connaissance. Ça change rien. Elle a la tête bien sur les épaules, cette fille. Tu vas l'aider à se libérer de son mac ?

— C'est ce qu'elle t'a dit ?

— Elle a rien dit du tout. C'est moi qui te pose la question.

— Il y aura toujours un mac. Sauf si elle veut décrocher. Si elle en a l'envie. Et le courage. Pas si simple, tu sais. Les filles sont durement tenues. Je débitais des banalités. Marie-Lou était une prostituée. Elle avait débarqué chez moi. Parce qu'elle était paumée. Parce que je n'étais pas bargeot. Parce que je représentais la sécurité. Je ne voyais pas plus loin. Pas plus loin que demain, et c'était déjà beaucoup. Faut que je trouve où la crécher. Elle peut pas rester ici. C'est plus très sûr, chez moi.

L'air était doux. Comme une caresse salée. Mon regard se perdit au loin. Le clapotis des vagues parlait de bonheur. J'essayais d'éloigner les menaces qui pesaient. J'étais entré à deux pieds dans des zones dangereuses. Ce qui les rendait encore plus dangereuses c'est que j'ignorais d'où arriveraient les coups.

— Je sais, dit Babette.

— Tu sais tout, répondis-je un rien énervé.

— Non, pas tout. Juste ce qu'il faut pour être inquiète.

— C'est gentil. Pardonne-moi.

— Pour Marie-Lou, c'est juste pour ça ?

Cela me gênait, cette discussion. Je devins agressif. Malgré moi.

— Tu veux savoir quoi ? Si je suis amoureux d'une prostituée ? C'est un fantasme qu'ont tous les hommes. Aimer une pute. L'arracher à son mac. Être son mac. L'avoir rien que pour soi. Femme objet... La lassitude me gagna. Le sentiment d'être au bout du rouleau. De tous les rouleaux. Je sais pas où elle est, la femme de ma vie. Peut-être qu'elle existe pas.

— Chez moi, c'est qu'un studio. Tu connais.

— T'inquiète. Je trouverai.

Babette sortit de son sac une enveloppe, l'ouvrit et me tendit une photo.

— C'est pour te montrer ça que je suis venue.

Plusieurs hommes autour d'une table, dans un restaurant. J'en connaissais un. Morvan. J'avalai ma salive.

— Celui qui est à droite, c'est Joseph Poli. Bourré d'ambition. Il se pose en successeur de Zucca. Les tueurs de l'Opéra, c'est certainement lui. C'est un ami de Jacky Le Mat. Il a participé au casse de Saint-Paul-de-Vence, en 81. Je me souvenais. Sept millions de bijoux volés. Après son interpellation, Le Mat avait été remis en liberté. Le principal témoin s'étant rétracté. Debout, poursuivit Babette, son frère. Émile. Spécialisé dans le racket, les machines à sous et les discothèques. Un teigneux sous ses airs bonasses.

— Ils arrosent Morvan ?

— Celui qui est à gauche, c'est Luc Wepler, continua-t-elle sans prêter cas à ma question. Dangereux.

Son portrait me fit froid dans le dos. Né en Algérie, Wepler s'engagea très jeune dans les paras et devint vite membre actif de l'OAS. En 65, on le retrouve dans le service d'ordre de Tixier-Vignancourt. Le piteux succès électoral de l'avocat le détourne de l'activisme officiel. Il en reprend chez les paras. Puis comme mercenaire en Rhodésie, aux Comores, au Tchad. En 74, il est au Cambodge. Parmi les conseillers militaires des Américains contre les Khmers rouges. Puis il enchaîne : Angola, Afrique du Sud, Bénin, Liban avec les phalanges de Béchir Jemayel.

— Intéressant, dis-je en imaginant un face à face avec lui.

— Depuis 90, il milite au Front national. En habitué des commandos, il travaille dans l'ombre. Peu de personnes le connaissent à Marseille. D'un côté, y a les sympathisants, que les idées radicales du Front national ont séduits. Des victimes de la crise économique. Des chômeurs. Des déçus du socialisme, du communisme. De l'autre, les militants. Wepler s'occupe d'eux. Des plus déterminés. Ceux qui viennent de l'Œuvre française, du GUD ou du Front de lutte anticommuniste. Ils les organisent en cellules d'action. Des hommes prêts à la bagarre. Il a la réputation de bien former les jeunes. Je veux dire qu'avec lui, ça passe ou ça casse.

Je ne lâchais pas la photo des yeux. J'étais comme hypnotisé par le regard bleu, électrique, glacial de Wepler. J'en avais côtoyé des comme lui à Djibouti. Des spécialistes de la mort froide. Des putains de l'impérialisme. Ses enfants perdus. Lâchés dans le monde, avec cette haine d'avoir été « les cornards de l'Histoire », comme l'avait dit un jour Garel, mon adjudant-chef. Puis j'en découvris un autre, que je connaissais. À l'arrière fond, à droite. À une autre table. Toni. Le beau Toni.

— Celui-là, tu le connais ?

— Non.

— J'ai fait sa connaissance ce soir.

Je lui racontai comment et pourquoi je l'avais rencontré. Elle fit la grimace.

— Mauvais. La photo a été prise lors d'un repas des plus enragés. En dehors même du cercle des militants du Front national.

— Tu veux dire que les frères Poli ont viré fascistes ?

Elle haussa les épaules.

— Ils bouffent ensemble. Ils rigolent ensemble. Ils chantent des trucs nazis. Comme à Paris, tu sais, chez Jenny. Ça prouve rien. Ce qui est sûr, c'est qu'ils doivent faire affaire. Les frères Poli doivent y trouver leur compte. Sinon, je vois pas pourquoi ils s'emmerderaient avec eux. Mais il y a un lien. Morvan. Wepler l'a formé. En Algérie. 1er Régiment de chasseurs parachutistes. Après 68, Morvan milite au Front de lutte anticommuniste où il devient responsable du Groupe Action. C'est à cette époque qu'il retrouve Wepler et qu'ils deviennent vraiment potes... Elle me regarda, sourit et ajouta sûre de son effet : Et qu'il épouse la sœur des frères Poli.

Je sifflai entre mes dents.

— T'as encore beaucoup de surprises comme ça ?

— Batisti.

Il était au premier plan sur la photo. Mais de dos. Je n'y avais pas porté cas.

— Batisti, répétai-je bêtement. Bien sûr. Il trempe là-dedans lui aussi ?

— Simone, sa fille, c'est la femme d'Émile Poli.

— La famille, hein ?

— La famille et les autres. La Mafia, c'est ça. Guérini, c'était ça aussi. Zucca, il avait épousé une cousine de Volgro, le Napolitain. Ici, c'est quand il n'y a plus eu de famille que tout a pété. Zucca l'avait compris. Il s'était rallié à une famille.

— *Nueva famiglia*, dis-je avec un sourire amer. Nouvelle famille et vieilles saloperies.

Marie-Lou revint, son corps enroulé dans une grande serviette éponge. Nous l'avions presque oubliée. Son apparition était une bouffée d'air frais. Elle nous regarda comme des conspirateurs, puis alluma une cigarette, nous servit de larges doses de Lagavulin et repartit à l'intérieur. Peu après, on entendit le bandonéon d'Astor Piazzolla, puis le saxophone de Jerry Mulligan. Une des plus belles rencontres musicales de ces quinze dernières années. *Buenos Aires, twenty years after.*

Les pièces d'un puzzle étaient éparses devant moi. Il n'y avait plus qu'à les assembler. Ugo, Zucca avec Morvan. Al Dakhil, ses gardes du corps et les deux tueurs avec Morvan et Toni. Leila avec Toni et les deux tueurs. Mais tout cela ne s'emboîtait pas. Et où placer Batisti ?

— Qui c'est celui-là ? demandai-je en montrant sur la photo un homme, très distingué, assis à droite de Joseph Poli.

— Je sais pas.
— C'est où, ce restaurant ?
— L'auberge des Restanques. À la sortie d'Aix, en allant sur Vauvenargues.

Les clignotants s'allumèrent instantanément dans ma tête. De renseignements sur Ugo, je zappais sur Leila.

— Leila. Son corps, on l'a retrouvé pas loin de là.
— Qu'est-ce qu'elle a à voir là-dedans ?
— C'est ce que je me demande.
— Tu crois aux coïncidences ?
— Je crois à rien.

J'avais accompagné Babette jusqu'à sa voiture, après m'être assuré qu'il n'y avait pas de danger immédiat dans la rue. Personne n'avait démarré derrière elle. Ni voiture, ni moto. J'avais attendu encore quelques minutes dehors. J'étais rentré, rassuré.

— Fais gaffe à toi, avait-elle dit.

Sa main avait caressé ma nuque. Je l'avais serrée contre moi.

— Je peux plus reculer, Babette. Je sais pas où ça va me conduire. Mais j'y vais. J'ai jamais eu de but dans ma vie. J'en ai un. Il vaut ce qu'il vaut, mais il me va.

J'avais aimé la lumière de ses yeux quand elle se détacha de moi.

— Le seul but, c'est de vivre.
— C'est bien ce que je dis.

Il me fallait maintenant faire face à Marie-Lou. J'avais espéré que Babette reste. Elles auraient pu dormir dans mon lit, moi sur le canapé. Mais Babette m'avait répondu que j'étais suffisamment grand pour dormir sur un canapé, même en son absence.

Marie-Lou tenait la photo dans ses mains.

— C'est qui, ces mecs ?

— Du beau linge sale ! Chaud, si tu veux savoir.

— Tu t'occupes d'eux ?

— Ça se pourrait.

Je lui pris la photo des mains et la regardai une nouvelle fois. Elle avait été prise il y a trois mois. Les Restanques, ce soir-là, un dimanche, était habituellement fermé. Babette avait eu la photo par un journaliste du *Méridional*, invité à la fête. Elle allait essayer d'en savoir plus sur les participants et, surtout, sur ce que mijotaient ensemble les frères Poli, Morvan et Wepler.

Marie-Lou s'était assise sur le canapé, les jambes repliées sous les genoux. Elle leva les yeux sur moi. La marque des coups s'estompait.

— Tu veux que je parte, c'est ça ?

Je lui montrai la bouteille de Lagavulin. Elle hocha la tête. Je remplis les verres et lui en tendis un.

— Je peux pas tout t'expliquer. Je suis dans une sale affaire, Marie-Lou. Tu l'as compris, hier soir. Les choses vont se compliquer. Ici, ça va devenir dangereux. C'est pas des tendres, dis-je encore en pensant aux gueules de Morvan et de Wepler.

Elle ne cessait de me regarder. Je la désirais très fort. J'avais envie de me jeter sur elle et de la prendre, comme ça, par terre. C'était la manière la plus simple pour éviter de parler. Je ne pensais pas que c'est ce qu'elle désirait, que je me jette sur elle. Je ne bougeai pas.

— Ça, j'ai compris. Je suis quoi, pour toi ?

— Une pute... Que j'aime bien.

— Salaud !

Elle lança son verre dans ma direction. Je l'avais pressenti et je l'esquivai. Le verre se brisa sur le carrelage. Marie-Lou ne bougea pas.

— Tu veux un autre verre ?

— Oui, s'il te plaît.

Je la resservis, et m'assis près d'elle. Le plus dur était passé.

— Tu veux quitter ton mac ?

— Je sais rien faire d'autre.

— J'aimerais que tu fasses autre chose.

— Ah, oui. Et quoi ? Caissière chez Prisu, c'est ça ?

— Pourquoi pas ? La fille de mon équipier, elle fait ça. Elle a ton âge, ou guère mieux.

— Tu parles d'un enfer !

— Te faire sauter, par des types que tu connais pas, c'est mieux ?

Elle resta silencieuse. À regarder le fond de son verre. Comme l'autre soir quand je l'avais retrouvée chez O'Stop.

— T'y pensais déjà ?

— Je fais plus le chiffre, depuis quelque temps. J'y arrive plus. À m'enfiler tous ces mecs. D'où la raclée.

— Je croyais que c'était à cause de moi.

— Toi, t'as été le prétexte.

Le jour se levait quand on cessa de parler. L'histoire de Marie-Lou, c'était celle de toutes les Marie-Lou du monde. À la virgule près. À commencer par le viol par le papa, chômeur, pendant que maman fait les ménages pour nourrir la famille. Les frères qui s'en foutent, parce que t'es qu'une fille. Sauf s'ils te voient frayer avec un Blanc ou, pire, avec un beur. Les claques qui pleuvent, pour un oui pour un rien. Parce que les claques c'est les carambars du pauvre.

Marie-Lou avait fugué à dix-sept ans, un soir en sortant du lycée. Seule. Son petit copain de classe s'était dégonflé. Ciao, le Pierrot. Et adieu La Garenne-Colombes. Direction le Sud. Le premier camionneur descendait vers Rome.

— C'est au retour, qu'j'ai compris. Qu'je finirais pute. Y m'a larguée à Lyon, avec cinq cents balles. Y avait sa femme et ses gamins qui l'attendaient. Y m'avait baisée pour plus que ça, mais bon, j'avais bien aimé ! Et l'aurait pu me jeter sans un. C'était le premier, ça pas été le pire.

« Tous les mecs qu'j'ai rencontrés après, ils pensaient qu'à ça aussi, tirer leur coup. Ça durait une semaine. Dans leur petite tronche, j'étais trop belle pour faire une femme honnête. Ça doit leur faire peur, quelque part, qu'j'sois baisable. Un bon coup. Ou bien y voyaient en moi la pute qu'j'allais être. Qu'est-ce tu crois, toi ?

— Je crois que le regard des autres est une arme de mort.

— Tu parles bien, dit-elle d'un air las. Mais t'aimerais pas une fille comme moi, hein ?

— Celles que j'ai aimées sont parties.

— Moi, je pourrais rester. J'ai rien à perdre.

Ses paroles me bouleversaient. Elle était sincère. Elle se livrait. Et elle se donnait, Marie-Lou.

— Je supporterais pas d'être aimé par une femme qui n'a rien à perdre. Aimer, c'est ça, cette possibilité de perdre.

— T'es un peu malade, Fabio. T'es pas heureux, toi, hein ?

— Je m'en vante pas !

Cela me fit rire. Pas elle. Elle me regarda, et je crus voir dans ses yeux de la tristesse. Je ne sus si c'était pour elle ou pour moi. Ses lèvres se collèrent aux miennes. Elle sentait l'huile de cajou.

— Je vais me coucher, dit-elle. C'est mieux, non ?

— C'est mieux, m'entendis-je répéter, en pensant qu'il était trop tard pour lui sauter dessus. Et cela me fit sourire.

— Tu sais, fit-elle en se levant, sur la photo, j'en connais un, des mecs. Elle ramassa la photo par terre et mit son doigt sur un homme, assis à côté de Toni. C'est mon mac. Raoul Farge.

— Nom de Dieu !

Le meilleur des canapés est toujours inconfortable. On n'y dort que par contrainte. Parce que quelqu'un d'autre occupe votre lit. Je n'avais pas dormi sur le mien depuis la dernière nuit que Rosa avait passée ici.

Nous avions parlé et bu jusqu'à l'aube, avec l'espoir de nous sauver une nouvelle fois. Ce n'était pas notre amour qui était en cause. C'était elle et c'était moi. Moi plus qu'elle. Je refusais de satisfaire son vrai désir : avoir un enfant. Je n'avais aucun argument logique à lui donner. J'étais seulement prisonnier de ma vie.

Clara, la seule femme que j'avais engrossée, involontairement il est vrai, avait avorté, sans me le dire. Je n'étais pas un type fiable, m'avait-elle balancé. Après. Pour expliquer sa décision. Je portais trop d'attention aux femmes. Je les aimais trop. J'étais infidèle rien que dans un regard. On ne pouvait me faire confiance. J'étais un amant. Je ne serais jamais un mari. Encore moins un père. Cela avait mis fin à notre histoire, évidemment. Dans ma tête, j'avais tué le père qui ne faisait pourtant que la sieste.

Rosa, je l'aimais. Un visage d'ange qu'encadrait un flot de cheveux bouclés, d'un châtain presque roux. Elle avait un sourire désarmant, magnifique, mais presque toujours un peu triste. C'est ce qui m'avait d'abord séduit, son sourire. Aujourd'hui, je pouvais penser à elle sans avoir mal. Elle m'était devenue non pas indifférente, mais irréelle. Cela m'avait pris du temps pour me déshabituer d'elle. De son corps. Quand nous étions ensemble, il me suffisait de fermer les yeux pour la désirer. Des images d'elle n'avaient cessé de me hanter. Souvent, je me demandais si ce désir renaîtrait, si elle réapparaissait, comme ça, sans avertir. Je n'en savais toujours rien.

Oui, je savais. Depuis que j'avais couché avec Lole. On ne pouvait se remettre d'avoir aimé Lole. Ce n'était pas une question de beauté. Rosa avait un corps superbe, tout en formes, subtilement dessiné. Tout en elle était sensuel. Le moindre geste. Lole, elle, était plus mince, plus longiligne. Aérienne, jusque dans sa démarche. Elle faisait songer à la Gradiva des fresques de Pompéi. Elle marchait en frôlant le sol, sans le toucher. L'aimer, c'était se laisser emporter par ses voyages. Elle transportait. Et, quand on jouissait, on n'avait pas l'impression d'avoir perdu quelque chose, mais d'avoir *trouvé*.

C'est ce que j'avais ressenti, même si, dans les

instants qui avaient suivi, j'avais tout gâché. Un soir, aux Goudes, Manu lâcha : « Putain, pourquoi quand on jouit, qu'ça dure pas ! » Nous n'avions su quoi répondre. Avec Lole, il y avait un après au plaisir.

Depuis, je vivais dans cet après. Je n'avais qu'un désir, la retrouver, la revoir. Même si depuis trois mois je refusais de l'admettre. Même si j'étais sans illusion. Sur mon corps brûlaient encore ses doigts. Sur ma joue la honte était toujours vivace. Après Lole, je n'avais pu trouver que Marie-Lou. Je jouissais avec elle comme on se perd. Par désespoir. On finit chez les putes par désespoir. Mais Marie-Lou méritait mieux.

Je changeai de position. Avec le sentiment que je n'arriverais pas à dormir. Le désir, intact, de retrouver Lole. L'envie, refoulée, de coucher avec Marie-Lou. Que venait donc faire son mac dans cette histoire ? La mort de Leila était comme une pierre jetée dans l'eau. Des ronds se dessinaient tout autour, où gravitaient des flics, des truands, des fascistes. Et maintenant Raoul Farge, qui entreposait dans la cave de Mourrabed assez de matériel pour prendre d'assaut la Banque de France.

Merde ! À quoi étaient destinées toutes ces armes ? Une idée intéressante me traversa l'esprit, mais la dernière gorgée de Lagavulin eut raison de mes réflexions. Je n'eus pas le temps de regarder l'heure. Quand le réveil sonna, il me sembla ne pas avoir fermé l'œil.

Marie-Lou avait dû se battre toute la nuit contre des monstres. Les oreillers étaient en boule et les draps plissés d'avoir été trop étreints. Elle dormait au-dessus du drap, sur le ventre, la tête tournée. Je ne voyais pas son visage. Je ne voyais que son corps. J'étais un peu idiot avec les tasses de café et les croissants.

J'avais nagé une bonne demi-heure. Le temps de cracher toutes les cigarettes du monde et de sentir les muscles de mon corps se tendre à péter. Droit devant moi, au-delà de la digue. Sans plaisir. Avec violence. J'avais arrêté quand mon estomac se contracta. L'élancement me rappela les coups que j'avais reçus. Le souvenir de la douleur se mua en peur. Une peur panique. Une seconde, je crus que j'allais me noyer.

Ce n'est que sous la douche, au contact de l'eau tiède que je retrouvai l'apaisement. J'avais avalé un jus d'orange, puis j'étais sorti acheter des croissants. J'avais fait une halte chez Fonfon, pour lire le journal en buvant un café. Malgré la pression de certains clients, on ne pouvait toujours y trouver que *Le Provençal* et *La Marseillaise*. Pas *Le Méridional*. Fonfon méritait mon assiduité.

Il y avait eu une rafle d'envergure, la nuit dernière. Menée par plusieurs brigades, dont celle d'Auch. Une rafle méthodique selon la règle des trois B. Bars, bordels, boîtes de nuit. Tous les lieux chauds y étaient passés : place d'Aix, cours Belzunce, place de l'Opéra, cours Julien, la Plaine et même place Thiars. Plus d'une soixantaine d'interpellations, exclusivement des Arabes en situation irrégulière. Quelques prostituées. Quelques voyous. Mais pas de truands notables. Même pas un petit truand de rien du tout. Les commissaires concernés s'étaient refusés à tout commentaire, mais le journaliste laissait entendre que ce type d'opération pourrait se reproduire. Il fallait assainir la vie nocturne marseillaise.

Pour qui savait lire entre les lignes, la situation était claire. Il n'y avait plus de chef connu dans la voyoucratie marseillaise. Zucca était mort et Al Dakhil l'avait rejoint au pays des salauds. La police occupait la place et la brigade d'Auch prenait ses marques. Il voulait savoir qui était maintenant son interlocuteur. Ma main à couper, me dis-je, que Joseph Poli sera l'homme de la situation. Cela me fit frissonner. Son ascension reposait sur un groupe d'extrémistes. Un homme politique avait dû parier son avenir là-dessus. Ugo, j'en étais maintenant sûr, avait été l'instrument de la main du diable.

— Je ne dors pas, dit Marie-Lou au moment où je repartais avec café et croissants.

Elle tira le drap sur elle. Son visage était fatigué et je supposai qu'elle avait aussi mal dormi que moi. Je m'assis sur le bord du lit, posai le plateau à côté d'elle et l'embrassai sur le front.

— Ça va ?

— C'est gentil, dit-elle en regardant le plateau. C'est la première fois qu'on m'apporte le déjeuner au lit.

Je ne répondis pas. On prit notre café en silence. Je la regardai manger. Elle gardait la tête baissée. Je lui tendis une cigarette. Nos yeux se croisèrent. Les siens étaient tristes. Je mis dans mon regard toute la douceur possible.

— T'aurais dû me faire l'amour, c'te nuit. Ça m'aurait aidée.

— Je pouvais pas.

— J'ai besoin de savoir qu'tu m'aimes. Si j'veux m'en sortir. J'y arriverai pas, sinon.

— Tu y arriveras.

— Tu m'aimes pas, hein ?

— Oui, je t'aime.

— Alors, pourquoi qu'tu m'as pas baisée comme n'importe quelle nana ?

— Je pouvais pas.

— Tu peux pas quoi !

D'un geste vif, sa main se glissa entre mes cuisses. Elle attrapa mon sexe et le serra par-dessus la toile du pantalon. Elle serra fort. Ses yeux toujours plantés dans les miens.

— Arrête ! je dis sans bouger.

— Tu veux dire que « ça », tu peux pas ? Elle lâcha mon sexe et sa main, toujours aussi rapide, m'attrapa les cheveux. Ou c'est là que tu peux pas ? Dans la tête.

— Oui, c'est là. Faut plus que tu sois pute.

— J'ai arrêté, connard ! Elle cria. J'ai arrêté. Dans ma p'tite tête à moi. En venant chez toi. Chez toi ! T'y vois rien ! T'es aveugle ? Si toi, t'y vois que dalle, personne y verra rien. J'serai toujours une pute. Ses bras s'enroulèrent autour de mon cou et elle se mit à chialer : Aime-moi, Fabio. Aime-moi. Qu'une fois. Mais aime-moi comme n'importe qui.

Elle se tut. Mes lèvres sur sa bouche. Ma langue trouvait sur la sienne des mots qui ne seraient jamais dits. Le plateau valdingua. J'entendis les tasses se briser sur le carrelage. Je sentis ses ongles lacérer mon dos. Je faillis jouir en la pénétrant. Son sexe était aussi chaud que les larmes qui coulaient sur ses joues.

On fit l'amour comme si c'était la première fois. Avec pudeur. Avec passion. Et sans arrière-pensée. Ses cernes disparurent. Je me laissai tomber sur le côté.

Elle me regarda un instant et faillit dire quelque chose. Au lieu de cela, elle me sourit. Son sourire était d'une telle tendresse que, moi non plus, je ne trouvai rien à dire. On resta ainsi, silencieux, les yeux ailleurs. Déjà à la recherche, chacun pour soi, d'un bonheur possible. Quand je la quittai, elle n'était plus une pute. Mais moi, je n'étais toujours qu'un putain de flic.

Et ce qui m'attendait, la porte franchie, cela ne faisait aucun doute, c'était la saloperie du monde.

11

Où les choses se font comme elles doivent se faire.

À la gueule que tirait Pérol, des emmerdes étaient dans l'air. Mais j'étais prêt à affronter le pire.

— Le patron veut te voir.

Un événement ! Deux ans que mon directeur ne m'avait pas convoqué. Depuis l'émeute déclenchée par Kader et Driss. Varounian avait envoyé une lettre au *Méridional.* Il racontait sa vie, le harcèlement des Arabes sur son commerce, les vols permanents, et il relatait les événements, à sa manière. La loi, disait-il en conclusion, est celle des Arabes. La justice, c'est leur justice. La France capitule devant l'invasion, parce que la police est avec eux. Il terminait sa lettre par un des slogans du Front national : Aimez la France, ou quittez-la !

Bon, ça n'eut pas le retentissement de « J'accuse ». Mais le commissariat de secteur, qui n'avait jamais admis qu'on chasse sur ses terres, s'était fendu d'un rapport accablant sur ma brigade. J'étais particulièrement visé. Mon équipe assurait parfaitement la protection des lieux publics, chacun le reconnaissait. Mais on me reprochait de ne pas être assez ferme à l'intérieur des cités. De trop négocier avec les délinquants, surtout immigrés, et avec les Gitans. Suivait une liste de tous les cas où, en leur présence, j'avais passé la main.

J'eus droit au savon maison. Mon patron d'abord. Le Grand Chef ensuite. Ma mission n'était pas de comprendre, mais de réprimer. J'étais là pour faire régner l'ordre. La justice, c'était aux juges de l'appliquer. Dans l'affaire qui avait fait les honneurs du *Méridional*, j'avais failli à ma mission.

Le Grand Chef en était venu ensuite à ce qui, aux yeux de tous, était un crime de lèse-majesté policière : mes rencontres avec Serge, un animateur de rues. Serge, on fit connaissance, un soir, au commissariat. Il s'était fait embarquer avec une quinzaine de mômes sur le parking de la Simiane. Le truc habituel : K7 à fond, cris, rires, mobylettes qui pétaradent... Il était avec eux, à se taper des bières. Il n'avait même pas ses papiers sur lui, ce con !

Serge se marrait. Il avait une gueule d'adolescent un peu vieilli. Fringué comme eux. Chef de bande, qu'on lui avait dit. Il avait juste demandé où il pouvait aller avec les gosses, pour faire du bruit sans déranger personne. De la provocation, vu que tout autour ce n'était rien que cités et parkings. Les mômes, il est vrai, ce n'étaient pas que des enfants de chœur. Quatre-cinq s'étaient déjà fait gauler pour des vols à l'arraché et autres conneries.

— Ouais, qu'c'est nous qu'on va t'payer ta retraite ! Alors, écrase ! gueulait Malik à Babar, un des plus vieux flics du commissariat.

Malik, je le connaissais. Quinze ans, quatre vols de voitures à son actif. « Nous ne savons plus quoi en faire, avait déclaré le substitut du procureur. Toutes les solutions de placements ont échoué. » Quand on en avait fini avec lui, il revenait à la cité. C'était chez lui. Il s'était fait pote avec Serge. Parce que avec lui, merde, on peut discuter.

— Putain ! c'est vrai, quoi ! dit-il en me voyant. C'est nous qu'on paye.

— Écrase ! j'avais dit.

Babar n'était pas un mauvais bougre. Mais c'était la période où il devait « toper » un maximum, pour être dans les quotas d'arrestations. Une centaine par mois. Sinon, bonjour le budget et les effectifs.

Avec Serge, on sympathisa. Il était un peu trop « curé » pour que lui et moi on devienne amis, mais j'aimais bien son courage et son amour des gamins. Serge, il avait la foi. Un moral d'enfer. Un moral urbain, disait-il. On se retrouva ensuite régulièrement, au Moustiers, un café de l'Estaque, près de la plage. On bavardait. Il était en liaison avec les assistantes sociales. Il m'aidait à comprendre. Souvent, quand on coinçait un môme pour une connerie de merde, je l'appelais au commissariat, avant même les parents.

Serge fut muté après l'entrevue avec mes supérieurs. Mais peut-être la décision avait-elle été prise avant ? Serge adressa une lettre ouverte aux journaux. « Vue de coupe d'un volcan. » Une invite à comprendre la jeunesse des cités. « Sur cette braise que le moindre souffle peut raviver, concluait-il, pompiers et pyromanes se livrent désormais une course de vitesse ». Personne ne la publia. Les journalistes de faits divers préféraient garder de bonnes relations avec les flics. Ils les fournissaient en informations.

Serge, je ne l'avais plus revu. Je l'avais grillé. En collaborant avec lui. Flics, animateurs, assistantes sociales, c'est des boulots différents. Ça ne doit pas travailler ensemble. « On n'est pas des assistantes sociales ! avait hurlé le Grand Chef. La prévention, la dissuasion par la présence et le contact, l'îlotage même, c'est du pipeau ! Vous comprenez, Montale ! » J'avais compris. On préférait souffler sur les braises. Politiquement, ça payait mieux aujourd'hui. Mon patron avait écrasé. Le service passa avec armes et bagages dans les oubliettes de l'Hôtel de Police. Nous n'étions plus que le service de nettoyage des quartiers Nord.

Avec Mourrabed, j'étais sur mon terrain. Une banale histoire de bagarre entre un voyou et un pédé, ça ne passionnait personne. Mon rapport n'était pas encore rédigé, et donc la maison ignorait tout de notre virée d'hier soir. La drogue, les armes. Notre trésor de guerre. Les armes, j'en devinais la destination. Une note de service, banale, au milieu d'autres, m'était revenue à l'esprit. Elle faisait état de l'apparition de bandes armées dans les banlieues. Paris, Créteil, Rueil-Malmaison, Sartrouville, Vaulx-en-Velin... À chaque flambée de colère dans une cité, on voyait surgir ces commandos. Foulards sur le nez, blousons de cuir retourné. Armés. Je ne savais plus où, mais un C. R. S. avait été abattu. L'arme, un colt 11.45, avait servi lors de l'exécution d'un restaurateur de Grenoble.

L'information n'avait pas dû échapper à mes collègues. Ni à Loubet, encore moins à Auch. Dès que j'aurais lâché le morceau, les autres brigades rappliqueraient et nous dessaisiraient de l'enquête. Comme d'habitude. J'avais décidé de retarder ce moment le plus possible. De passer sous silence l'épisode de la cave et, surtout, de ne rien dire de Raoul Farge. J'étais le seul à connaître ses liens avec Morvan et Toni.

Cerutti arriva avec des cafés. Je sortis un bout de papier sur lequel Marie-Lou avait griffonné le téléphone de Farge, et une adresse probable, chemin de Montolivet. Je le tendis à Cerutti.

— Tu vérifies si téléphone et adresse concordent. Et tu te pointes avec quelques gars. Tu devrais y trouver Farge. Doit pas être du genre à se lever tôt.

Ils me regardèrent ahuris.

— Où t'as eu ça ? demanda Pérol.

— Un de mes indics. Farge, je le veux ici, avant midi, dis-je à Cerutti. Vérifie s'il est fiché. Quand on aura sa déposition, on le confrontera à Mourrabed. Pérol, toi tu fais causer le connard sur la came, et les armes. Surtout les armes. Qui fournit et tout le tralala. Dis-lui qu'on a coffré Farge. Mets quelqu'un sur les armes. L'inventaire, pour midi également. Ah ! je veux aussi une liste de tous les flingues qui ont servi à des meurtres, sur les trois derniers mois. Ils étaient de plus en plus sonnés. C'est une course de vitesse, les mecs. On va bientôt avoir toute la maison dans le bureau. Alors fissa ! Bon, c'est pas que votre compagnie m'ennuie, mais Dieu m'attend !

J'étais en forme.

La justice de Dieu est aveugle, c'est bien connu. Le patron n'y alla pas par quatre chemins. Il cria « Entrez ! » Ce n'était pas une invitation, mais une injonction. Il ne se leva pas. Il ne me tendit pas la main, ni même dit bonjour. J'étais debout, comme un mauvais élève.

— C'est quoi cette histoire de... Il regarda sa fiche : Mourrabed. Nacer Mourrabed.

— Une bagarre. Simple bagarre entre voyous.

— Et vous coffrez les gens pour ça ?

— Y a une plainte.

— Des plaintes, l'entresol en est plein. Il n'y a pas eu mort d'homme, que je sache. Je secouai la tête. Parce que je ne crois pas avoir encore lu votre rapport.

— Je le prépare.

Il regarda sa montre.

— Cela fait exactement vingt-six heures et quinze minutes que vous avez interpellé ce voyou, et vous me dites que votre rapport n'est toujours pas prêt ? Pour une simple bagarre ?

— Je voulais vérifier certaines choses. Mourrabed a des antécédents. C'est un récidiviste.

Il me regarda des pieds à la tête. Le mauvais élève. Le dernier de la classe. Ça ne m'impressionnait pas, son regard dédaigneux. Depuis la primaire, j'avais l'habitude. Bagarreur, grande gueule, insolent. Les engueulades et les sermons, seul, debout au milieu des autres, j'en avais eu mon comptant. Je soutins son regard, les mains dans les poches de mon jeans.

— Récidiviste. Je crois plutôt que vous vous acharnez contre ce... Il regarda encore sa fiche : Nacer Mourrabed. C'est aussi l'avis de son avocat.

Il marquait un point. J'ignorais que l'avocat était déjà au parfum. Pérol le savait-il ? Il marqua un second point quand il demanda par l'interphone de faire entrer maître Éric Brunel.

Ce nom me dit vaguement quelque chose. Je n'eus pas le temps d'y réfléchir. L'homme qui s'avança dans le bureau, je l'avais vu en photo, pas plus tard que cette nuit, aux côtés des frères Poli, de Wepler et de Morvan. Mon cœur se mit à battre. La boucle était bouclée et j'étais vraiment dans le merdier. Total Khéops, disent les rappeurs d'IAM. Bordel immense. Je n'avais plus à espérer que Pérol et Cerutti mettent les bouchées doubles. À moi de gagner du temps. Jusqu'à midi.

Le patron se leva et fit le tour de son bureau pour accueillir Éric Brunel. Il était aussi impeccable que sur la photo, dans un costard croisé en lin bleu marine. À croire que, dehors, la température n'avoisinait pas les 30 ou 35 degrés. Visiblement, il n'était pas homme à transpirer ! Le patron lui désigna un siège. Il ne me présenta pas. Ils avaient déjà dû évoquer mon cas.

J'étais toujours debout et, comme on ne me demandait rien, j'allumai une cigarette, et j'attendis. Ainsi qu'il lui en avait déjà fait part au téléphone, précisa Brunel, il trouvait pour le moins anormal que son client, arrêté hier matin pour bagarre, n'ait pas eu le droit — il insista sur le mot — d'appeler son avocat.

— La loi m'y autorise, répliquai-je.

— La loi ne vous autorise pas à vous acharner contre lui. Ce que vous faites. Depuis plusieurs mois.

— C'est un des plus gros dealers des quartiers Nord.

— Que vous dites ! Il n'y a pas la moindre trace de preuve contre lui. Vous l'avez déjà envoyé devant un juge. En vain. Ça vous a défrisé. Vous le poursuivez par orgueil. Quant à votre soi-disant bagarre, j'ai fait ma petite enquête. Plusieurs témoins affirment que c'est le plaignant, un petit camé homosexuel, qui aurait agressé mon client à la sortie d'un bar.

Je sentais la plaidoirie arriver. Je voulus le couper.

— Continuez, maître, dit le patron, m'intimant le silence d'un signe de la main.

Je laissai la cendre de ma cigarette tomber par terre.

On eut droit à l'enfance malheureuse de son « client ». Brunel s'occupait de Mourrabed depuis moins d'un an. Des enfants comme lui méritaient une chance. Il défendait plusieurs « clients » dans son cas. Des Arabes, comme Mourrabed, et quelques autres avec des noms bien français. Les jurés en auraient les larmes aux yeux, c'était sûr.

Et la plaidoirie arriva :

— C'est à quatorze ans que mon client quitte l'appartement de son père. Il n'y a plus sa place. Il va vivre dans la rue. Très vite, il apprendra à se débrouiller seul, à ne compter que sur lui. À cogner aussi. À cogner dur pour survivre. Voilà dans quelle désespérance il va continuer à grandir.

À ce rythme-là, me dis-je, j'allais péter les plombs. J'allais me jeter sur Brunel et lui faire bouffer sa carte du Front national ! Mais l'heure tournait et, avec ses salades, je gagnais du temps. Brunel continuait. Il en était côté avenir. Travail, famille, patrie :

— Elle s'appelle Jocelyne. Elle est d'une cité, elle aussi. La Bricarde. Mais elle a une vraie famille. Son père est ouvrier aux cimenteries Lafarge. Sa mère, femme de service à l'hôpital Nord. Jocelyne a été une lycéenne studieuse, sage. Elle prépare un CAP de coiffure. C'est sa petite fiancée. Elle l'aime et elle l'aide. Elle sera la mère qu'il n'a pas connue. La femme dont il rêve. Ensemble, ils prendront un appartement. Ensemble, ils construiront un coin de paradis. Oui, monsieur ! dit-il en me voyant sourire.

Je n'avais pu m'en empêcher. C'était trop. Mourrabed en pantoufles. Devant la télé. Avec trois mouflets sur les genoux. Mourrabed smicard bienheureux !

— Vous savez, dit Brunel, prenant mon patron à témoin, ce que ce jeune homme, ce délinquant, m'a raconté un jour ? Tu vois, m'a-t-il dit, plus tard, avec ma femme, on habitera un immeuble où, à l'entrée, il y aura une plaque en marbre, avec un « R » en lettre dorée. Le « R » de résidence, comme il y en a vers Saint-Tronc, Saint-Marcel et la Gavotte. Voilà son rêve.

Passer des quartiers Nord au quartier Est. Une fabuleuse ascension sociale !

— Je vais vous dire à quoi il rêve, Mourrabed, le coupai-je. Parce que, là, j'étais prêt à dégueuler. Il rêve casse, pognon. Il rêve grosse bagnole, costard et bagouse. Il rêve ce que vous représentez. Mais il n'a pas sa tchatche à vendre, comme vous. Rien que de la came. Fournie par des mecs aussi bien nippés que vous.

— Montale ! hurla le patron.

— Eh quoi ! criai-je à mon tour. Je sais pas où elle était sa petite fiancée, l'autre soir. Ce que je peux vous dire, c'est que lui il était en train de niquer une fugueuse de seize ans ! Après avoir éclaté la tête d'un type qui avait juste les cheveux un peu trop longs. Et pour faire bon poids, ils s'y sont mis à trois. Des fois que…

l'homosexuel, comme vous dites, il sache se battre. J'ai rien, personnellement, contre Mourrabed, mais ça m'aurait pas déplu qu'il se fasse mettre par un pédé !

Et j'écrasai ma cigarette par terre.

Brunel était resté imperturbable. Un sourire discret sur les lèvres. Il m'enregistrait. Il voyait déjà ses potes m'allumer. Me faire bouffer la langue. Me faire exploser la tête. Il ajusta le nœud de sa cravate, pourtant impeccable, et se leva, l'air sincèrement contrit.

— Devant de tels propos, monsieur... Mon patron se leva dans le même mouvement. Choqué, lui aussi, par mes paroles. J'exige que mon client soit relâché immédiatement.

— Vous permettez, dis-je, en décrochant le téléphone du bureau. Une dernière vérification.

Il était midi sept. Pérol décrocha.

— C'est tout bon, il dit. Et il me raconta vite fait.

Je me retournai vers Brunel.

— Votre client va être inculpé, lui dis-je. Pour coups et blessures volontaires. Détournement de mineure. Recel de drogue et possession d'armes, dont une, au moins, a servi dans l'assassinat d'une jeune fille, Leila Laarbi. Une affaire dont s'occupe le commissaire Loubet. Un complice est actuellement interrogé. Raoul Farge. Un proxénète. J'espère que ce n'est pas un autre de vos clients, maître.

Je réussis à ne pas sourire.

J'appelai Marie-Lou. Elle se dorait au soleil, sur la terrasse. J'eus la vision de son corps. Les Noirs qui se font bronzer, ça m'a toujours étonné. Je ne voyais pas la différence. Eux oui, paraît-il. Je lui annonçai la bonne nouvelle. Farge était dans mon bureau, et pas près d'en sortir. Elle pouvait prendre un taxi pour aller faire ses valises.

— J'y serai dans une heure et demie, lui dis-je.

Nous avions décidé son départ ce matin, après avoir ramassé, en riant, les tasses brisées et bu un autre café sur la terrasse avec Honorine. Elle repassait chez elle plier bagage et s'installait quelque temps à la campagne. Une sœur d'Honorine habitait Saint-Cannat, un petit village à vingt bornes d'Aix, sur la route d'Avignon. Avec son mari, elle exploitait une petite propriété. De la vigne, des cerisiers, des abricotiers. Ils n'étaient plus très jeunes. Ils étaient prêts à accueillir Marie-Lou, pour l'été. Honorine était ravie de pouvoir rendre ce service. Elle était comme moi, Marie-Lou, elle l'aimait bien. Elle m'avait fait un clin d'œil :

— Vé ! Z'aurez bien un peu de temps pour aller la voir, non ? C'est quand même pas au diable vauvert !

— Avec vous, Honorine.

— Té mon beau, j'ai passé l'âge des chaperons, moi !

On avait ri. Il faudrait que je prenne le temps de lui dire que mon cœur était ailleurs. Je me demandais si Honorine aimerait Lole. Mais, devant elle, j'étais comme devant ma mère. Lui parler des filles m'était impossible. La seule fois où j'avais osé, je venais d'avoir quatorze ans. Je lui avais dit que j'aimais Gélou, qu'elle était vachement belle. J'avais pris une claque. La première de ma vie. Honorine aurait peut-être réagi de même. On ne plaisantait pas avec les cousines.

Coffrer Farge réduisait le risque pour Marie-Lou. Près de chez elle, un mec devait planquer. Il ne ferait rien sans joindre Farge, mais je préférais être là. Farge niait tout en bloc. Sauf l'évidence. Il reconnaissait être le locataire du deux-pièces où créchait Mourrabed. Mais cette cité, il ne la supportait plus. C'était que crouilles et négros. Il avait envoyé son préavis à l'Office d'HLM. Bien sûr, on ne trouva aucune trace de lettre recommandée. Mais cette argumentation lui permettait d'affirmer ne pas connaître Mourrabed. Un squatter, ne cessait-il de répéter. « Y viennent là pour se camer ! Savent faire que ça. Et violer nos femmes. » Là, je faillis lui tirer un pain. En pensant à Leila. Aux deux tueurs. Et à Toni.

— Redis ça, lui dis-je, et je te fais bouffer tes couilles.

Au fichier, rien sur lui. Blanc comme neige. Farge. Comme pour Toni, le ménage avait été fait. On trouverait, pour le faire avouer d'où venaient les armes. Nous peut-être pas, mais Loubet oui. Farge, j'étais prêt à le lui passer. J'allai le voir, l'Astra spécial en poche. Je lui fis part de mes trouvailles chez Mourrabed. Il regarda le flingue déposé sur son bureau.

— Le troisième homme, il est toujours dans la nature. Alors, si t'as le temps…

— T'es persévérant, dit-il avec un petit sourire.

— La chance.

En refilant Farge à Loubet, je bottais en touche. Pas d'Auch sur le dos. Pas de Morvan non plus. Loubet était autrement respecté que moi. Il n'aimait pas qu'on le fasse chier dans ses enquêtes. Il ferait son boulot.

Je lui passai sous silence Toni. Il conduisait le taxi. Cela n'en faisait pas un tueur, ni un violeur. Au mieux devrait-il répondre de ses liens avec les deux tueurs. Ceux-là étant morts, Toni pouvait raconter n'importe quoi. Comme je n'avais qu'une conviction, mais pas de preuve, je préférais garder une longueur d'avance sur tout le monde.

— D'avoir des crouilles à vot'palmarès, ça vous plaît, hein ? lâcha le « squatter » Mourrabed dans un sursaut de colère.

— Les Arabes c'est pas un problème. Toi, oui.

Je lui dis que j'avais rencontré son avocat et que, malheureusement, il ne pouvait rien pour lui maintenant. Par pure méchanceté, j'ajoutai que, s'il le voulait, je pouvais téléphoner à sa petite fiancée.

— Ton avocat m'en a dit grand bien, de Jocelyne. Je crois que pour le mariage, c'est râpé !

Ses yeux se brouillèrent. D'un voile de larmes impossibles. Il n'était plus que désespoir et accablement. La haine disparaissait. Mais elle reviendrait. Après des années de taule. Plus violente encore.

Il finit par craquer. À force de menaces, d'infos bidons. Et de claques. Farge le fournissait en dope et lui apportait régulièrement des flingues. Les armes, c'était depuis six mois. Son boulot était d'en fourguer à quelques potes qui avaient vraiment des couilles. Mais lui, il y touchait pas. Il trouvait des clients, c'est tout. Et il se faisait une petite commission. C'est Farge qui tenait le magasin. Avec un autre type. Un grand baraqué. Cheveux très courts. Les yeux bleus, comme de l'acier. Wepler.

— J'peux avoir des fringues convenables ?

Il faisait presque pitié. Son tee-shirt était auréolé de sueur et son caleçon arborait des taches jaunes de gouttes de pisse. Mais je n'avais pas pitié de lui. Il avait franchi depuis longtemps la ligne blanche. Et son histoire personnelle n'expliquait pas tout. Jocelyne, pas la peine de l'appeler. Elle venait de se marier, avec un connard de postier. C'était qu'une salope. Le pédé, c'était rien que son frère.

Il n'y avait pas de comité d'accueil chez Marie-Lou. Le studio était tel qu'elle l'avait laissé. Elle fit ses bagages rapidement. Pressée de se tirer. Comme quand on part en vacances.

Je portai les valises jusqu'à sa voiture, une Fiesta blanche, garée en haut de la rue Estelle. Marie-Lou bouclait un dernier sac d'objets auxquels elle tenait. Ce n'était pas des vacances, c'était un vrai départ. Je remontai la rue. Une moto, une Yamaha 1100, se gara devant le pont qui enjambe le cours Lieutaud. Marie-Lou habitait après le pont. Un immeuble accroché aux escaliers qui montent au Cours Julien. Ils étaient deux. Le passager descendit. Un grand blond tout en muscles. Il joua des biceps à en faire craquer les manches de son tee-shirt. Ce mec-là, c'était monsieur Muscles. Je le suivis.

Marie-Lou sortait. Monsieur Muscles alla droit sur elle. Il l'attrapa par le bras. Elle se débattit puis m'aperçut.

— Y a un problème ?

Monsieur Muscles se retourna. Prêt à m'allonger une torgnole. Il eut un mouvement de recul. Physiquement, je ne devais pas l'impressionner autant que ça. Non, c'était autre chose. Et je compris. C'était mon ami le boxeur.

— Je t'ai posé une question.

— T'es qui toi ?

— C'est vrai, l'autre nuit, on n'a pas été présentés.

J'ouvris ma veste. Il aperçut le holster et mon flingue. Avant de quitter le bureau, je l'avais enfilé, j'avais vérifié mon arme et l'avais chargée. Sous le regard inquiet de Pérol.

— Va falloir qu'on cause, toi et moi.

— Plus tard.

— Ce soir.

— Je te promets. Là, j'ai juste un rendez-vous urgent. Avec une fille à Farge. Le tuyau, c'est elle.

Il ne fit aucun commentaire. À ses yeux, j'étais définitivement flic hors catégorie. Et dingue, certainement. Qu'on cause lui et moi, cela devenait indispensable. Avec Mourrabed, on avait dérapé dans la benne à ordures.

— Pose les mains sur le mur et écarte les jambes, je lui dis.

J'entendis la moto démarrer. Je m'approchai de monsieur Muscles et le délestai du portefeuille qui dépassait de la poche arrière de son jeans. Je n'arrivais pas à croire qu'ils m'avaient passé à tabac, comme ça, à cause de Marie-Lou.

— Ton pote, Farge, il est en cabane. T'es venu pour quoi, l'autre soir?

Il haussa les épaules. Tous ses muscles bougèrent et j'eus un mouvement de recul. Ce mec-là, il pouvait m'aligner juste en claquant des doigts.

— T'as qu'lui demander!

Il ne me croyait pas vraiment. Et je ne l'impressionnais guère. Je n'arriverais pas à l'embarquer tout seul, comme ça. Même avec mon flingue. Il n'attendait que la bonne occasion. Je posai le canon de l'arme sur son crâne. Des yeux, je surveillai les rares passants. Personne ne s'arrêtait. Un coup d'œil, et ils filaient.

— J'fais quoi, dit Marie-Lou dans mon dos.

— Va à la voiture.

Un siècle passa. Finalement, ce que j'espérais se produisit. Une sirène de police se fit entendre cours Lieutaud. Elle se rapprocha. Il y avait encore de bons citoyens. Trois flics arrivèrent. Je leur montrai ma carte. J'étais loin de chez moi, mais au diable les manières.

— Il emmerdait une jeune femme. Embarquez-le pour outrage à officier de police. Vous le livrez à l'inspecteur Pérol. Il saura quoi en faire. Toi, je te retrouve tout à l'heure.

Marie-Lou attendait, appuyée sur le capot de la Fiesta. En fumant. Quelques hommes se retournaient au passage pour la regarder. Mais elle semblait ne voir personne. Ni même sentir leurs yeux sur elle. Elle avait ce regard que je lui avais découvert ce matin, après l'amour. Un regard lointain. Elle était déjà ailleurs.

Elle se serra contre moi. Je plongeai mon visage dans sa chevelure. Je la respirai une dernière fois. Odeur de cannelle. Ses seins étaient brûlants contre ma poitrine. Elle laissa glisser ses doigts dans mon dos. Je me dégageai, lentement. Je mis mon doigt sur sa bouche avant qu'elle ne dise un mot. Un au revoir. Un à bientôt. Ou un n'importe quoi. Je n'aimais pas les départs. Je n'aimais pas les retours, non plus. J'aimais simplement que les choses se fassent, comme elles devaient se faire.

Je l'embrassai sur les joues. Doucement, en prenant le temps. Puis je descendis la rue Estelle, vers un autre rendez-vous. Batisti m'attendait à cinq heures.

12

Où l'on côtoie l'infiniment petit de la saloperie du monde

On sauta dans le ferry-boat, au moment où il quittait le quai. J'avais poussé Batisti plus qu'il n'avait sauté. Avec force, et sans le lâcher. L'élan l'entraîna au milieu de la cabine. Je crus qu'il allait perdre l'équilibre et s'affaler, mais il se rattrapa à une banquette. Il se retourna, me regarda, puis s'assit. Il souleva sa casquette et s'épongea le front.

— Les Ritals ! dis-je. Et j'allai payer.

Je les avais repérés au moment où Batisti me rejoignait devant l'embarcadère du ferry-boat, place aux Huiles. Ils le suivaient à quelques mètres. Pantalons de toile blanche, chemises à fleurs, lunettes de soleil et un sac en bandoulière. Comme l'avait dit Djamel, ils se la jouaient touristes à fond. Je les reconnus immédiatement. Ils déjeunaient derrière nous, l'autre jour, au Bar de la Marine. Ils étaient partis quand Batisti m'avait quitté. Batisti les avait sur le dos. S'ils m'avaient suivi dans le Panier, c'est parce qu'ils m'avaient vu avec lui. Je pouvais le penser. Cela semblait juste.

Les Ritals ne me filaient pas. Ni personne. Je m'en étais assuré avant d'aller rejoindre Batisti. En quittant

Marie-Lou, je descendis la rue Estelle, puis je pris la rue Saint-Ferréol. La grande rue piétonne de Marseille. Tous les grands magasins étaient concentrés ici. Nouvelles-Galeries, Mark et Spencer, La Redoute, Virgin. Ils avaient détrôné les beaux cinémas des années soixante, le Rialto, le Rex, le Pathé Palace. Il n'y avait même plus un bar. À sept heures, la rue devenait aussi vide et triste que la Canebière.

Je m'étais plongé dans le flot des flâneurs. Petits bourgeois, cadres, fonctionnaires, immigrés, chômeurs, jeunes, vieux... Dès cinq heures, tout Marseille déambulait dans cette rue. Chacun se côtoyait naturellement, sans agressivité. Marseille était là dans sa vérité. Ce n'est qu'aux extrémités de la rue que les clivages renaissaient. La Canebière, implicite frontière entre le Nord et le Sud de la ville. Et place Félix-Baret, à deux pas de la Préfecture, où stationnait toujours un car de C. R. S. À l'avant-poste des quartiers bourgeois. Derrière, les bars, dont le Bar Pierre, sont depuis un siècle le lieu de rendez-vous, le plus avancé dans le centre-ville, de la jeunesse dorée.

Sous le regard des C. R. S., le sentiment, toujours, d'une ville en état de guerre. Passé ces limites, regards ennemis, et peurs ou haine selon que l'on s'appelle Paul ou Ahmed. Le délit de sale gueule est ici loi naturelle.

J'avais marché sans but, sans même m'attarder devant les vitrines. Je remettais mes pensées en ordre. De la mort de Manu à celle d'Ugo, le fil des événements se dévidait. Même sans rien en comprendre, je pouvais les ordonner. Pour l'instant, cela me satisfaisait. Les adolescentes qui déambulaient me semblaient plus belles qu'à mon époque. Sur leur visage se lisait le croisement des migrations. Leur histoire. Elles marchaient sûres, et fières, de leur beauté. Des Marseillaises, elles avaient adopté la même démarche languissante, et ce regard, presque effronté, si vos yeux s'attardaient sur elles. Je ne sais qui avait dit qu'elles étaient des mutantes, mais cela me paraissait exact. J'enviais les jeunes garçons d'aujourd'hui.

Rue Vacon, au lieu de continuer sur le quai de Rive-Neuve, jusqu'à l'embarcadère du ferry-boat, je pris à gauche. Pour descendre dans le parking souterrain du cours d'Estienne d'Orves. J'avais allumé une cigarette et j'avais attendu. La première personne qui apparut fut une femme d'une trentaine d'années. Tailleur saumon, en lin. Rondelette. Très maquillée. En me voyant, elle eut un mouvement de recul. Elle serra son sac contre sa poitrine et s'éloigna très vite à la recherche de sa voiture. Ma cigarette finie, j'étais remonté.

Assis sur la banquette, Batisti épongeait son front avec un gros mouchoir blanc. Il avait l'air d'un brave retraité de la marine. D'un bon vieux Marseillais. La chemisette blanche toujours par-dessus le pantalon de toile bleue, des espadrilles, et la casquette de marin vissée sur la tête. Batisti regardait le quai s'éloigner. Les deux Ritals hésitaient. Même s'ils attrapaient un taxi, ce qui serait un miracle, ils arriveraient trop tard de l'autre côté du port. Ils nous avaient perdus. Pour l'instant.

Je m'appuyai à une fenêtre. Sans m'occuper de Batisti. Je voulais qu'il marine dans son jus. Le temps de la traversée. J'aimais bien cette traversée. En regardant la passe entre les deux forts, Saint-Nicolas et

Saint-Jean, qui gardent l'entrée de Marseille. Tourné vers le large, et non vers la Canebière. Par choix. Marseille, porte de l'Orient. L'ailleurs. L'aventure, le rêve. Les Marseillais n'aiment pas les voyages. Tout le monde les croit marins, aventuriers, que leur père ou leur grand-père a fait le tour du monde, au moins une fois. Au mieux, ils étaient allés jusqu'à Niolon, ou au Cap Croisette. Dans les familles bourgeoises, la mer était interdite aux enfants. Le port permettait les affaires, mais la mer, c'était sale. C'est par là qu'arrivait le vice. Et la peste. Dès les beaux jours, on partait vivre dans les terres. Aix et sa campagne, ses mas et ses bastides. La mer, on la laissait aux pauvres.

Le port, cela fut le terrain de jeux de notre enfance. Nous avions appris à nager entre les deux forts. L'aller-retour, il fallait faire, un jour. Pour être un homme. Pour épater les filles. La première fois, il fallut que Manu et Ugo viennent me repêcher. Je coulais, à bout de souffle.

— T'as eu peur.

— Non. Perdu le souffle.

Le souffle, je l'avais. Mais j'avais eu peur.

Manu et Ugo n'étaient plus là pour me venir en aide. Ils avaient coulé et je n'avais pu me porter à leur secours. Ugo n'avait pas cherché à me voir. Lole s'était enfuie. J'étais seul, et j'allais plonger dans la merde. Juste pour être en règle avec eux. Avec notre jeunesse déglinguée. L'amitié ne tolère pas les dettes. Au bout de la traversée, il n'y aurait que moi. Si j'y arrivais. J'avais encore quelques illusions sur le monde. Quelques vieux rêves tenaces aussi. Je saurais vivre maintenant, je crois.

Nous approchions du quai. Batisti se leva et se dirigea vers l'autre bord du ferry-boat. Il était soucieux. Il me jeta un regard. Je ne pus rien y lire. Ni peur, ni haine, ni résignation. Une froide indifférence. Place de la Mairie, aucune trace des Ritals. Batisti me suivit sans parler. On traversa devant l'Hôtel de Ville et on grimpa la rue de la Guirlande.

— On va où ? dit-il enfin.

— Un endroit calme.

Rue Caisserie, on prit à gauche. Nous étions devant Chez Félix. Même sans la menace des Ritals, c'était là que je voulais l'amener. Je pris le bras de Batisti, le fit se tourner et lui montrai le trottoir. Il frissonna, malgré la chaleur.

— Regarde bien ! C'est là qu'ils l'ont buté, Manu. T'étais pas venu, je parie !

Je le fis entrer dans le bar. Quatre vieux tapaient une belote, en buvant des Vittel-menthe. Il faisait nettement plus frais à l'intérieur. Je n'étais plus venu depuis la mort de Manu. Mais Félix ne fit pas de commentaire. À la poignée de main qu'il me donna, je compris qu'il était heureux de me revoir.

— Céleste, vé, l'aïoli, elle le sert toujours.

— Je viendrai. Dis-lui.

Pour l'aïoli, Céleste n'avait d'égale qu'Honorine. La morue était dessalée à point. Ce qui est rare. Habituellement, elle trempe trop, en deux eaux seulement. Plusieurs eaux étaient préférables. Une fois huit heures, puis trois fois deux heures. Il convenait aussi de la pocher à l'eau frémissante, avec du fenouil et des grains de poivre. Céleste avait aussi son huile d'olive pour « monter » l'aïoli. Du moulin Rossi, à Mouriès. Elle en employait d'autres pour la cuisine ou les salades. Des huiles de Jacques Barles d'Éguilles, d'Henri Bellon de Fontvieille, de Margier-Aubert d'Auriol. Ses salades livraient toujours un goût différent.

Chez Félix, Manu jouait à cache-cache avec moi. Il évitait de m'y rencontrer depuis que je l'avais traité de tocard. Il s'était d'ailleurs empressé de se dégager de l'affaire. Quinze jours avant qu'il ne se fasse descendre, il vint s'asseoir en face de moi. Un vendredi, jour d'aïoli. On s'envoya quelques tournées de pastis, puis du rosé de Saint-Cannat. Deux bouteilles. Nous nous retrouvions sur nos vieilles routes. Sans rancune, rien que des rancœurs.

— Où on est, tous les trois, on reviendra plus.

— On peut toujours reconnaître les conneries.

— Tu fais chier ! Trop tard, Fabio. On a trop attendu. On s'est enfoncé. On y est jusqu'au cou.

— Parle pour toi ! Il me regarda. Il n'y avait pas de lueur mauvaise dans ses yeux. Juste de l'ironie, un peu lasse. Je ne pouvais soutenir son regard. Parce qu'il était dans le vrai. Ce que j'étais devenu, ce n'était guère mieux. OK, je dis. On y est jusqu'au cou.

On trinqua, en achevant la seconde bouteille.

— J'ai promis une chose. À Lole. Y a longtemps. J'ai jamais pu. La couvrir de fric. Et l'emmener d'ici. À Séville, ou quelque part par là. Je vais le faire. Je suis sur le bon coup. Pour une fois.

— Le fric, ça fait pas tout. Lole, c'est l'amour...

— Laisse tomber ! Elle a attendu Ugo. Moi je l'ai attendue. Le temps a brouillé les cartes. Ou donné raison à… Il haussa les épaules. Je sais pas. Lole et moi, ça fait, quoi, dix ans, qu'on se traîne à s'aimer, sans passion. Ugo, elle l'a aimé. Toi aussi.

— Moi ?

— Si tu t'étais pas taillé comme une gonzesse, elle serait venue vers toi. Un jour ou l'autre. Avec ou sans Ugo. T'es le plus solide. Et t'as du cœur.

— Aujourd'hui, peut-être.

— T'en as toujours eu. De nous tous, t'as le plus souffert. À cause de ça. Du cœur. S'il m'arrive un pépin, prends soin d'elle. Il se leva. Nous deux, je crois pas qu'on se revoie. On a fait le tour du vide. Et y a plus rien à dire.

Il était parti très vite. En me laissant l'addition.

Je pris une pression, Batisti un verre d'orgeat.

— T'aimes les putes, j'ai appris. Ça plaît pas trop, ça. Les flics qui vont aux putes. On te l'a fait savoir. Point.

— T'es qu'un empaffé, Batisti. Le cogneur, je l'ai coincé, y a pas plus tard qu'une heure. Celui qui l'a envoyé, Farge, il est dans mon bureau depuis ce matin. Et crois-moi, on discute pas des putes. Mais drogue. Et détention d'armes. Dans un appartement qu'il louait cité Bassens.

— Ah ! dit-il laconique.

Il devait savoir, déjà. Pour Farge. Mourrabed. Ma rencontre avec Toni. Il attendait que j'en dise plus. Encore une fois, il était là pour ça. Pour me tirer les vers du nez. Je le savais. Et je savais aussi où je voulais l'emmener. Mais je ne voulais pas abattre toutes mes cartes. Pas tout de suite.

— Pourquoi ils te filent le train, les Ritals ?

— Je sais pas.

— Écoute, Batisti, on va pas tourner autour du pot cent sept ans. Je t'ai pas vraiment pas à la bonne. Si tu me racontes, je gagnerai du temps.

— Tu vas gagner de te faire plomber.

— J'y penserai plus tard.

Manu était au centre de tout ce merdier. Après sa mort, j'avais interrogé quelques indics. Posé des questions ici et là dans les différentes brigades. Rien. J'avais trouvé ça étonnant. Que personne n'ait eu le moindre écho d'un contrat lancé contre Manu. J'en avais déduit qu'il s'était fait descendre par un petit voyou. Pour une vieille entourloupe. Ou un truc de ce genre. Un hasard à la con. Je m'étais satisfait de ça. Jusqu'à aujourd'hui midi.

— Le boulot, chez Brunel, l'avocat, Manu, il l'a fait. Proprement. Comme il savait faire, je suppose. Même mieux. Vu qu'il risquait pas d'être emmerdé. Ce soir-là, vous bouffiez tous ensemble. Aux Restanques. Manu, il a pas eu le temps de se faire payer. Deux jours après, il était mort.

En tapant mon rapport, j'avais recollé les morceaux de l'histoire. Les événements. Mais pas toujours leur sens. J'avais questionné Lole sur le fameux coup dont Manu m'avait parlé. Il se confiait peu. Mais, pour une fois, tout s'était bien passé, lui avait-il confié. La vraie bonne affaire. Il allait enfin palper gros. Ils avaient fait une virée au champagne, cette nuit-là. Pour fêter ça. Le boulot, un jeu d'enfant. Percer le coffre d'un avocat du boulevard Longchamp, et rafler tous les documents qui s'y trouvaient. L'avocat, c'était Éric Brunel. L'homme de confiance de Zucca.

Babette m'avait donné l'info quand je lui avais téléphoné, après avoir bouclé mon rapport. Nous étions convenus de nous rappeler avant mon rendez-vous avec Batisti. Brunel devait doubler Zucca, et le vieux avait dû s'en douter. Il avait envoyé Manu faire le ménage. Ou quelque chose comme ça. Zucca et les frères Poli, ce n'était pas la même planète. Ni la même famille. Il y avait trop d'argent en jeu. Zucca ne pouvait pas se permettre de se faire doubler.

À Naples, selon un correspondant romain de Babette, la mort de Zucca, ils n'avaient pas apprécié. Ils s'en remettraient, bien sûr. Comme toujours. Mais cela mettait un frein à de grosses affaires en cours. Zucca était, semblait-il, en passe de traiter avec deux grosses entreprises françaises. Le blanchiment de l'argent de la drogue participait à la nécessaire relance économique. Patrons et politiciens en étaient convaincus.

Je déballai mes infos à Batisti, pour essayer de surprendre ses réactions. Un silence, un sourire, un mot. Tout serait bon pour piger les choses. Je n'arrivais pas encore à comprendre le rôle de Batisti. Ni où il se situait. Babette le croyait plus lié à Zucca qu'aux frères Poli. Mais il y avait Simone. Seule certitude, il avait branché Ugo sur Zucca. Ce fil-là, je ne le lâcherai pas. Le fil conducteur. D'Ugo à Manu. Et, quelque part par là, Leila se débattait dans l'ignoble. Je ne pouvais toujours pas penser à elle sans revoir son corps couvert de fourmis. Même son sourire, les fourmis l'avaient bouffé.

— T'es bien rencardé, dit Batisti sans ciller.

— J'ai que ça à faire ! Je suis qu'un petit flic,

comme tu sais. Tes potes, ou n'importe qui, peuvent me rayer de la carte sans que ça fasse une vague. Et moi, j'ai rien qu'envie d'aller à la pêche. Peinard. Sans qu'on me fasse chier. Et je suis vachement pressé d'y retourner, à la pêche !

— Va à la pêche. Personne y viendra te chercher. Même si tu baises des putes. C'est ça que je t'ai dit l'autre jour.

— Trop tard ! Je fais des cauchemars. Tu piges ça ? Rien qu'à penser que mes vieux amis se sont fait buter. Bon, c'était pas des saints... Je pris ma respiration et plantai mes yeux dans ceux de Batisti : Mais la petite qu'ils ont violée aux Restanques, dans l'arrière-salle, elle avait rien à voir dans le film. Tu me diras, c'était qu'une Arabe. Pour toi et les tiens, ça compte pas. C'est comme les nègres, ça n'a pas d'âme, ces animaux-là. Hein, Batisti !

J'avais élevé la voix. À la table derrière nous, les cartes restèrent suspendues dans l'air une fraction de seconde. Félix leva les yeux de la BD qu'il lisait. Un vieux *Pieds Nickelés* jauni. Il les collectionnait. Je lui commandai un autre demi.

— Belote, dit un des petits vieux.

Et la vie reprit son cours.

Batisti avait accusé le coup, mais sans rien en laisser paraître. Il avait des années de magouilles et de combines derrière lui. Il voulut se lever. Je posai ma main sur son bras. Fermement. Il lui suffisait de passer un coup de fil, et Fabio Montale finirait sa soirée dans un caniveau. Comme Manu. Comme Ugo. Mais j'avais trop de rage pour me laisser tirer comme un pigeon. J'avais abattu presque toutes mes cartes, mais j'avais encore un rami dans les mains.

— Sois pas si pressé. J'ai pas fini.

Il haussa les épaules. Félix posa le demi devant moi. Son regard alla de Batisti à moi. C'était pas un méchant, Félix. Mais si je lui disais : « Manu, si on l'a buté, c'est à cause de cet empaffé », vieux ou pas, il lui mettrait la grosse tête. Malheureusement, avec Batisti, ça ne se règlait pas avec des claques.

— Je t'écoute. Le ton était cassant. Je commençais à l'énerver et c'était ce que je cherchais. Le faire sortir de ses gonds.

— Les deux Ritals, t'as rien à craindre d'eux, je crois. Sans doute qu'ils te protègent. Les Napolitains, ils cherchent un successeur à Zucca. Ils t'ont contacté, c'est ça que je pense. T'es toujours dans le bottin maffieux. Rubrique conseils. Peut-être même que c'est toi qu'ils vont désigner. Je surveillais ses réactions. Ou Brunel. Ou Émile Poli. Ou ta fille.

Il eut comme un tic, au coin de la lèvre. Deux fois. Je devais approcher de la vérité.

— T'es complètement fêlé ! D'imaginer des trucs pareils.

— Mais non ! Tu le sais bien ! Fêlé, non. Bouché, oui. Je pige que dalle à rien. Pour quelles raisons t'as fait flinguer Zucca par Ugo. Comment tout ça a pu s'organiser. Le coup de pot qu'Ugo, il débarque à Marseille. Ni pourquoi ton copain Morvan l'attendait, une fois le boulot fait. Ni quel jeu pourri tu joues. Rien. Et encore moins pourquoi Manu est mort et qui l'a tué. Je peux rien contre toi. Ni contre les autres. Reste Simone. Elle, je vais la faire plonger.

J'étais sûr de faire mouche. Ses yeux virèrent au gris

électrique. Il serra ses mains à s'en faire péter les jointures.

— La touche pas ! J'ai qu'elle !

— Moi aussi, j'ai qu'elle. À me mettre sous la dent. Loubet est sur l'affaire de la petite. J'ai tout entre les mains, Batisti. Toni, son arme, le lieu. Je balance tout à Loubet, dans l'heure qui suit il ramène Simone. Le viol, ça s'est passé chez elle. Les Restanques, c'est à elle, non ?

C'était la dernière information donnée par Babette. Bien sûr, je n'avais aucune preuve de tout ce que j'avançais. Mais cela n'avait aucune importance. Batisti l'ignorait. Je l'amenais là où il ne s'y attendait pas. Un terrain à découvert.

— Qu'elle épouse Émile, c'était une connerie. Mais les enfants, ça sait pas écouter. Les frères Poli, j'ai jamais pu les saquer.

L'impression de fraîcheur avait disparu. J'avais envie de me barrer, d'être sur mon bateau, au large. La mer et le silence. L'humanité entière me sortait par les yeux. Toutes ces histoires, c'était l'infiniment petit de la saloperie du monde. À grande échelle, ça donnait les guerres, les massacres, les génocides, le fanatisme, les dictatures. À croire que le premier homme, il s'était tellement fait mettre en venant au monde, qu'il avait la haine. Si Dieu existe, on est des enfants de pute.

— C'est par elle qu'ils te tiennent, hein ?

— Zucca, il a fait le comptable pendant des années. Les chiffres, c'était son truc, plus que les armes. La guerre des clans, les règlements de comptes, il est passé au travers. Mieux, il a compté les points. La mafia se cherchait une antenne à Marseille, ils l'ont choisi comme interlocuteur. Il a bien mené sa barque. Comme un chef d'entreprise. C'est ce qu'il était ces dernières années. Un homme d'affaire. Si tu savais...

— Je veux pas savoir. Ça m'intéresse pas. Je suis sûr que c'est à vomir.

— Tu vois, valait mieux bosser avec lui qu'avec les frères Poli. Eux, c'est que des artisans. Ils n'ont pas l'envergure. Zucca, je crois qu'il les aurait éliminés un jour ou l'autre. Ils devenaient trop remuants. Surtout depuis qu'ils sont sous l'influence de Morvan et de Wepler.

« Y pensent qu'ils vont nettoyer Marseille. Y rêvent de foutre le feu à la ville. D'un grand bordel, qui partirait des quartiers Nord. Des hordes de jeunes se livrant au pillage. C'est Wepler qui s'occupe de ça. Ils s'appuient sur les dealers et leurs réseaux. Eux, ils doivent faire monter la pression chez les jeunes. Paraît qu'y sont chauds.

La violence d'un côté. La peur, le racisme à l'autre bout. Avec ça, ils espéraient que leurs copains fascistes arrivent à la mairie. Et ils seront peinards. Comme du temps de Sabiani, le tout-puissant adjoint au maire, ami de Carbone et Spirito, les deux grands caïds de la pègre marseillaise d'avant-guerre. Ils pourront faire leurs affaires. Ils seront en position de force face aux Italiens. Ils se voient déjà en train de récupérer la cagnotte de Zucca.

J'en avais assez entendu pour être écœuré pendant des siècles. Heureusement que je serais mort avant ! Qu'est-ce que j'allais bien pouvoir faire de tout ça. Rien. Je ne me voyais pas emmener Batisti et lui faire raconter devant Loubet. Je n'avais aucune preuve contre eux tous. Juste une inculpation contre Mourrabed. Le dernier de la liste. Un Arabe. La victime désignée. Comme toujours. Babette ne pourrait même pas en tirer un article. Sa déontologie était stricte. Des faits, rien que des faits. C'est comme ça qu'elle s'était imposée dans la presse.

Je ne me voyais pas non plus dans le rôle du justicier. Je ne me voyais plus dans aucun rôle. Même plus celui de flic. Je ne voyais plus rien du tout. J'étais sonné. La haine, la violence. Les truands, les flics, les politiciens. Et la misère comme terreau. Le chômage, le racisme. On était tous comme des insectes pris dans une toile d'araignée. On se débattait, mais l'araignée finirait par nous bouffer.

Mais je devais encore savoir.

— Et Manu dans tout ça ?

— Il a jamais fait sauter le coffre de Brunel. Il a négocié avec lui. Contre Zucca. Il voulait se faire plus de fric. Beaucoup plus. Il pétait les plombs, je crois. Zucca lui a pas pardonné. Quand Ugo m'a appelé de Paris, j'ai compris que je tenais ma revanche.

Il avait parlé vite. Comme s'il vidait son sac. Mais trop vite.

— Quelle revanche, Batisti ?

— Hein ?

— T'as parlé de revanche.

Il leva les yeux sur moi. Pour la première fois, il était sincère. Son regard se voila. Et se perdit là où je n'existais pas.

— Manu, je l'aimais bien, tu sais, balbutia-t-il.

— Mais pas Zucca, hein ?

Il ne répondit pas. Je n'en tirerais plus rien. J'avais touché un point sensible. Je me levai.

— T'es encore en train de me la refaire, Batisti. Il gardait la tête baissée. Je me penchai vers lui : Je vais continuer. Fouiner. Jusqu'à ce que je sache. Tout. Vous y passerez tous. Simone avec.

Cela me faisait un bien fou de menacer à mon tour. Ils ne m'avaient pas laissé le choix des armes. Il me regarda enfin. Un sourire méchant sur les lèvres.

— T'es taré, dit-il.

— Si tu veux me faire plomber, grouille-toi. Pour moi, t'es un homme mort, Batisti. Et ça me plaît, cette idée. Parce que t'es qu'une ordure.

Je laissai Batisti devant son verre d'orgeat.

Dehors, je pris le soleil en pleine gueule. L'impression de revenir à la vie. La vraie vie. Où le bonheur est une accumulation de petits riens insignifiants. Un rayon de soleil, un sourire, du linge qui sèche à une fenêtre, un gamin faisant un drible avec une boîte de conserve, un air de Vincent Scotto, un léger coup de vent sous la jupe d'une femme…

13

Où il y a des choses qu'on ne peut pas laisser passer.

Je restai immobile quelques secondes, devant chez Félix. Les yeux aveugles de soleil. On aurait pu me tuer là, et j'aurais tout pardonné à tous. Mais personne ne m'attendait au coin de la rue. Le rendez-vous était ailleurs, que je n'avais pas fixé, mais vers lequel j'allais.

Je remontai la rue Caisserie et coupai par la place de Lenche. En passant devant le bar Le Montmartre, je ne pus m'empêcher de sourire. Chaque fois je souriais. C'était tellement déplacé, ici, Le Montmartre. Je pris la rue Sainte-Françoise et entrai au Treize-Coins, chez Ange. Je lui désignai la bouteille de cognac. Je bus cul sec. Il était resté planté devant moi, la bouteille à la main. Je lui fis signe de me resservir et vidai un second verre tout aussi sec.

— Ça va ? demanda-t-il, un peu inquiet.

— À merveille ! Jamais été aussi bien !

Et je lui tendis mon verre. Je le pris et allai m'asseoir en terrasse, à côté d'une table d'Arabes.

— Mais on est français, con. On est né ici. L'Algérie, moi, j'connais pas.

— T'es français, toi. On est les moins français de tous les Français. Voilà ce qu'on est.

— Si les Français y veulent plus de toi, tu fous quoi ? T'attends qu'y te flinguent. Moi, je me casse.

— Ah oui ! Tu vas où, eh con ! Arrête de délirer.

— Moi, je m'en tape. Je suis marseillais. J'y reste. Point. Et si on m'cherche y me trouveront.

Ils étaient de Marseille. marseillais avant d'être arabes. Avec la même conviction que nos parents. Comme nous l'étions Ugo, Manu et moi à quinze ans. Un jour, Ugo avait demandé : « Chez moi, chez Fabio, on parle napolitain. Chez toi, on parle espagnol. En classe, on apprend le français. Mais on est quoi, dans le fond ? »

— Des Arabes, avait répondu Manu.

Nous avions éclaté de rire. Et ils étaient là, à leur tour. À revivre notre misère. Dans les maisons de nos parents. À prendre ça pour paradis comptant et à prier pour que ça dure. Mon père m'avait dit : « Oublie pas. Quand je suis arrivé ici, le matin, avec mes frères, on savait pas si on aurait à manger à midi, et on mangeait quand même. » C'était ça, l'histoire de Marseille. Son éternité. Une utopie. L'unique utopie du monde. Un lieu où n'importe qui, de n'importe quelle couleur, pouvait descendre d'un bateau, ou d'un train, sa valise à la main, sans un sou en poche, et se fondre dans le flot des autres hommes. Une ville où, à peine le pied posé sur le sol, cet homme pouvait dire : « C'est ici. Je suis chez moi. »

Marseille appartient à ceux qui y vivent.

Ange, un pastis à la main, vint s'asseoir à ma table.

— T'inquiète, je lui dis. Tout va s'arranger. Y a toujours une solution.

— Pérol, ça fait bien deux heures qu'y te cherche.

— Où t'es ! Nom de Dieu de merde ! hurla Pérol.
— Chez Ange. Rapplique. Avec la tire.
Je raccrochai. J'avalai vite fait un troisième cognac. Je me sentais vachement mieux.
J'attendis Pérol, rue de l'Évêché, en bas des marches du passage Sainte-Françoise. Il était obligé de passer par là. Le temps de griller une cigarette, il arrivait.
— Où on va ?
— Écouter du Ferré, ça te va ?
Chez Hassan, Bar des Maraîchers à la Plaine, ni raï, ni reggae, ni rock. De la chanson française, et presque toujours Brel, Brassens et Ferré. L'Arabe, il se faisait plaisir en prenant les clients à contre-pied.
— Salut, Étrangers, dit-il en nous voyant entrer.
Ici, on était tous l'ami étranger. Quelle que soit la couleur de la peau, des cheveux ou des yeux. Hassan s'était fait une belle clientèle de jeunes, lycéens et étudiants. De ceux qui taillent les cours, de préférence les plus importants. Ils tchatchaient de l'avenir du monde devant un demi pression, puis, passées sept heures du soir, ils entreprenaient de le reconstruire. Ça ne changeait rien à rien, mais c'était bon par où ça passait. Ferré chantait :

On n'est pas des saints.
Pour la béatitude, on n'a qu'Cinzano.
Pauvres orphelins,
on prie par habitude notr'Per'nod.

Je ne savais que boire. J'avais sauté l'heure du

pastis. Après un coup d'œil aux bouteilles, j'optai pour un Glenmorangie. Pérol, pour un demi.

— T'es jamais venu ici ? Il secoua la tête. Il me regardait comme si j'étais malade. Mon cas devait être grave. Tu devrais sortir plus souvent. Tu vois, Pérol, des soirs, on devrait se faire des virées, nous deux. Histoire de pas perdre de vue la réalité. Tu piges ? On perd le sens du réel, et badaboum, on sait plus sur quelle étagère on a laissé son âme. Au rayon des copains. Au rayon des femmes. Côté cour, côté cuisine. Dans la boîte à chaussures. Le temps de te retourner, t'es perdu dans le tiroir du bas, avec les accessoires.

— Arrête ! dit-il sans crier, mais fermement.

— Tu vois, je poursuivis, sans faire cas de sa colère, ça serait peut-être bien, quelques daurades. Grillées avec du thym et du laurier. Et juste un filet d'huile d'olive dessus. Ta femme, elle aimerait ça, tu crois ?

J'avais envie de parler cuisine. De faire l'inventaire de tous les plats que je savais préparer. De mitonner des cannellonis au jambon et aux épinards. De préparer une salade de thon aux pommes de terre nouvelles. Des sardines à l'escabèche. J'avais faim.

— T'as pas faim ? Pérol ne répondit pas. Pérol, je vais te dire, je sais même plus ton prénom.

— Gérard, dit-il, en souriant enfin.

— Ben, mon Gégé. On va s'en envoyer encore un, puis on va aller manger un morceau. Qu'est-ce que t'en dis ?

Au lieu de répondre, il m'expliqua le foutoir que c'était, dans la maison poulaga. Auch était venu réclamer Mourrabed, à cause des armes. Brenier l'exigeait, pour la drogue. Loubet refusait de le lâcher, parce que, merde, lui il enquêtait sur un crime. Du coup, Auch s'était rabattu sur Farge. Comme il faisait le con, trop sûr de ses protections, il avait ramassé des torgnoles. Auch gueulait que s'il ne lui expliquait pas comment ces armes étaient arrivées là, dans sa cave, il lui exploserait la tête.

Au détour d'un couloir, l'autre, monsieur Muscles, que j'avais expédié à Pérol, en voyant Farge, il s'était mis à hurler que c'était lui qui l'avait envoyé casser les dents à la pute. Dès que le mot « pute » arriva à l'étage du dessous, Gravis se pointa. Les proxénètes, c'était son secteur. Et Farge, il le connaissait sur le bout des doigts.

— C'est le moment que j'ai choisi pour m'étonner que Farge n'ait pas de casier.

— Bien joué.

— Gravis gueulait qu'il y avait de sacrés enfoirés dans la maison. Auch a gueulé encore plus fort que son casier, à Farge, on allait lui refaire vite fait. Et il a passé Farge à Morvan pour une visite guidée du sous-sol...

— Et ? demandai-je, même si je devinai la réponse.

— Son cœur a pas supporté. Crise cardiaque, trois quarts d'heure après.

Combien de temps me restait-il à vivre ? Je me demandai quel plat j'aimerais manger avant de mourir. Une soupe de poisson, peut-être bien. Avec une bonne rouille, montée avec de la chair d'oursins et un peu de safran. Mais je n'avais plus faim. Et j'étais dégrisé.

— Et Mourrabed ?

— On a relu ses confessions. Il les a signées. Puis je l'ai passé à Loubet. Bon, tu me déballes ton histoire, dans quoi t'es mêlé, tout ça. Pas envie de mourir idiot.

— C'est long. Alors, laisse-moi aller pisser.

Au passage, je me commandai un autre Glenmorrangie. Ce truc-là, ça se buvait mieux que du petit lait. Dans les toilettes, un petit rigolo avait écrit : « Souriez, vous êtes filmé ». Je fis mon sourire n°5. Fabio, tout va bien. T'es le plus beau. T'es le plus fort. Puis je me passai la tête sous le robinet.

Quand on revint à l'Hôtel de Police, Pérol connaissait tout de l'histoire. Dans le moindre détail. Il avait écouté sans m'interrompre. De lui en faire ainsi le récit me fit du bien. Je n'y voyais pas vraiment plus clair, mais j'avais le sentiment de savoir où j'allais.

— Tu penses que Manu, il a voulu doubler Zucca ?

C'était plausible. Compte tenu de ce qu'il m'avait dit. Le gros coup, ce n'était pas le boulot qu'il devait faire. C'était le paquet de fric qu'il pouvait en retirer. Mais en même temps, plus j'y pensais et moins ça collait. Pérol mettait le doigt juste où ça coinçait. Je ne voyais pas Manu arnaquer Zucca. Il lui arrivait de faire des trucs dingues, mais il savait flairer les vrais dangers. Comme un animal. Et puis, c'est Batisti qui l'avait branché sur le coup. Le père qu'il s'était choisi. Le seul type à qui il faisait à peu près confiance. Il ne pouvait pas lui faire ça.

— Non, je crois pas, Gérard.

Mais je ne voyais pas qui avait pu le descendre.

Il me manquait encore une autre réponse : comment Leila avait-elle connu Toni ?

J'avais l'intention d'aller le lui demander. Ce n'était plus qu'un détail, mais il me tenait à cœur. Ça pinçait, comme la jalousie. Leila amoureuse. Je m'étais fait à cette idée. Mais pas aussi facilement. Admettre qu'une femme que l'on désire soit dans un lit avec un autre. Même si je l'avais décidé, ce n'était pas aussi simple, non. Avec Leila, peut-être, j'aurais pu repartir à zéro. Réinventer. Rebâtir. Libéré du passé. Des souvenirs. Illusion. Leila, c'était le présent, l'avenir. J'appartenais à mon passé. Si j'avais un demain heureux, il me fallait revenir à ce rendez-vous manqué. À Lole. Tout ce temps qui avait passé entre nous.

Leila avec Toni, je ne comprenais pas. Toni, il avait pourtant bel et bien embarqué Leila. Le gardien de la cité universitaire avait appelé dans l'après-midi, m'apprit Pérol. Sa femme s'était souvenue avoir vu Leila monter dans une Golf décapotable, après avoir discuté quelques minutes sur le parking avec le conducteur. Que même elle avait pensé : « Ben, salette, elle s'emmerde pas, la petite ! »

Derrière les voies SNCF de la gare Saint-Charles, coincé par la sortie de l'autoroute Nord et les boulevards de Plombières et National, le quartier de la Belle-de-Mai restait identique à lui-même. On continuait d'y vivre comme avant. Loin du centre qui, pourtant, n'était qu'à quelques minutes. L'esprit village régnait. Comme à Vauban, la Blancarde, le Rouet ou la Capelette, où j'avais grandi.

Gamins, nous venions souvent à la Belle de Mai. Pour nous battre. À cause des filles, souvent. Presque toujours. Il y avait toujours une bagarre dans l'air. Et un stade ou un terrain vague pour se foutre sur la gueule. Vauban contre la Blancarde. La Capelette contre la Belle-de-Mai. Le Panier contre le Rouet. Après un bal, une fête populaire, une kermesse, ou à la sortie du ciné. Ce n'était pas *West side story*. Latinos contre Ricains. Chaque bande avait sa part d'Italiens, d'Espagnols, d'Arméniens, de Portugais, d'Arabes, d'Africains, de Viets. On se battait pour le sourire des filles, pas pour la couleur des peaux. Ça créait des amitiés, pas des haines.

Un jour, derrière le stade Vallier, je me fis salement cogner par un Rital. J'avais « méchamment » regardé sa sœur à la sortie de l'Alambra, une salle de danse, à la Blancarde. Ugo y avait repéré quelques petites, et ça nous changeait des salons Michel. On découvrit après que nos pères étaient de villages voisins. Le mien de Castel San Giorgio, le sien de Piovene. On partit boire une bière. Une semaine après, il me présenta sa sœur, Ophélia. On était « paese », c'était différent. « Si t'arrives à la tenir, chapeau ! C'est rien qu'une allumeuse. » Ophélia, c'était pire. Une salope. C'est elle que Mavros avait épousée. Et le pauvre vieux, il en avait sacrément bavé.

J'avais perdu la notion du temps. Je garai ma bagnole presque devant l'immeuble de Toni. Sa Golf était stationnée cinquante mètres plus haut. Je fumai des clopes en écoutant Buddy Guy. *Damn right, He's got the blues*. Un truc fabuleux. Marc Knopfler, Eric Clapton et Jeff Beck l'accompagnaient. J'hésitais encore à rendre visite à Toni. Il habitait au second, et il y avait de la lumière chez lui. Je me demandai s'il était seul ou pas.

Parce que moi, j'étais seul. Pérol avait filé sur Bassens. Une baston se préparait. Entre les gamins du quartier et les potes à Mourrabed. Une bande craignos avait débarqué, provoquant ceux de la cité. Ils avaient laissé les flics embarquer Mourrabed. On les avait montés, c'était évident. Le grand black s'était déjà pris une trempe. Ils l'avaient coincé à cinq sur le parking. Ceux de Bassens, ils n'entendaient pas laisser piétiner leur territoire. Surtout pas par des dealers. On affûtait les couteaux.

Seul, Cerutti ne ferait pas le poids. Même avec l'aide de Reiver, qui avait rappliqué aussitôt, prêt à reprendre du service de nuit après son service de jour. Pérol avait rameuté les équipes. Il fallait agir vite. Interpeller quelques dealers, sous prétexte que Mourrabed les avait donnés. Faire circuler la rumeur qu'il était un donneur. Cela devait calmer les ardeurs. On voulait éviter que les gamins de Bassens se cognent avec les petits salauds.

« Va manger, souffle un peu et fais pas de connerie, m'avait dit Pérol. Attends-moi pour ça. » Je ne lui avais rien dit de mes intentions de la soirée. Je n'en savais d'ailleurs encore rien. Je sentais juste qu'il fallait que je bouge. J'avais lancé des menaces. Je ne pouvais plus rester dans la position de la bête traquée. Je devais les obliger à se montrer. À faire une connerie. J'avais dit à Pérol qu'on se retrouverait plus tard et qu'ensemble on mettrait au point un plan. Il m'avait proposé de venir dormir chez lui, il y avait trop de risque à retourner aux Goudes. Et ça, je le croyais.

— Tu sais, Fabio, avait-il dit après m'avoir écouté, sûr que je ressens pas les choses comme toi. Tes amis, je les ai pas connus et Leila, tu me l'as jamais présentée. Mais je comprends où t'en es. Je sais que pour toi, c'est pas qu'une question de vengeance. C'est juste ce sentiment qu'il y a des choses qu'on peut pas laisser passer. Parce que après, sinon, tu peux plus te regarder dans la glace.

Pérol parlait peu, mais là il s'y mettait, et il pouvait y en avoir pour des plombes.

— Te bile pas, Gérard !

— C'est pas ça. Je vais te dire. C'est du gros que t'as levé. Tu peux pas cogner seul. T'en sortir comme ça. Je suis avec toi. Je vais pas te laisser tomber.

— Je sais que t'es un ami. Quoi que tu fasses. Mais je te demande rien, Gérard. Tu connais l'expression ? Au-delà de cette limite, votre ticket n'est plus valable. J'en suis là. Et je veux pas t'y entraîner. C'est dangereux. On sera amené à faire des choses pas propres, je crois. Certainement même. T'as une femme, une gamine. Pense à elles, et oublie-moi.

J'ouvris la portière. Il me retint par le bras.

— Impossible, Fabio. Demain, si on te retrouve mort, je sais pas ce que je ferai. Pire peut-être.

— Je vais te dire ce que tu feras. Un autre môme. Avec la femme que tu aimes. Avec tes gosses, je suis sûr qu'il y a un avenir sur cette terre.

— T'es rien qu'un connard !

Il m'avait fait promettre de l'attendre. Ou de le joindre, si je bougeais. J'avais promis. Et il était parti, rassuré, vers Bassens. Il ignorait que je ne serais pas de parole. Et merde ! J'écrasai ma troisième clope et sortis de la voiture.

— Qui est-ce ?

Une voix de femme. De jeune femme. Inquiète. J'avais entendu des rires. Puis le silence.

— Montale. Fabio Montale. Je voudrais voir Toni.

La porte s'entrebâilla. J'avais encore dû changer de chaîne ! Karine fut aussi étonnée que moi. Nous étions face à face sans pouvoir nous dire un mot. J'entrai. Une forte odeur de shit m'arriva dans le nez.

— C'est qui ? j'entendis demander du fond du couloir.

La voix de Kader.

— Entrez, me dit Karine. Comment vous savez que j'habite là ?

— Je venais voir Pirelli. Toni.

— Mon frère ! Ça fait des siècles qu'il est plus ici.

La réponse ! Enfin, je l'avais. Mais ça ne m'expliquait rien. Leila et Toni, je n'arrivais toujours pas à y croire. Ils étaient tous là. Kader, Yasmine, Driss. Autour de la table. Comme des conspirateurs.

— Allah est grand, dis-je en désignant la bouteille de whisky devant eux.

— Et Chivas est son prophète, répliqua Kader en s'emparant de la bouteille. Tu trinques avec nous ?

Ils devaient avoir pas mal bu. Pas mal fumé aussi. Mais je n'avais pas l'impression qu'ils s'éclataient. Au contraire.

— J'savais pas que tu le connaissais, Toni, dit Karine.

— On se connaît comme ça. Tu vois, j'ignorais même qu'il avait déménagé.

— Ça fait un bail alors, que tu l'as pas vu…

— Je passai par là, j'ai vu de la lumière, je suis monté. Tu sais, les vieux copains.

Leurs yeux étaient braqués sur moi. Toni et moi, ça

ne devait pas vraiment coller dans leur tête. Il était trop tard pour que je change d'attitude. Ils gambergeaient à toute pompe.

— V'lui vouliez quoi ? demanda Driss.

— Un service. Un service à lui demander. Mais bon, dis-je en vidant mon verre, je vais pas vous ennuyer plus longtemps.

— Tu nous ennuies pas, affirma Kader.

— Ma journée a été longue.

— Z'avez serré un dealer, paraît ? demanda Jasmine.

— Les nouvelles vont vite.

— Téléphone arabe ! lâcha Kader en riant. Un rire forcé. Faux.

Ils attendaient que j'explique ce que je foutais là, à chercher Toni. Jasmine poussa vers moi un livre, encore dans son emballage cadeau. Je lus le titre, sans même le prendre. *La solitude est un cercueil de verre*, de Bradbury.

— Le livre, vous pouvez l'prendre. Il était à Leila. Vous connaissez ?

— Elle m'en a souvent parlé. Je l'ai jamais lu.

— Tiens, dit Kader en me tendant un verre de whisky. Assieds-toi. Y a pas le feu.

— On l'a acheté ensemble. La veille..., dit Jasmine.

— Ah, je dis. Le whisky me brûlait. Je n'avais toujours rien avalé de la journée. La fatigue commençait à m'envahir. La nuit n'était pas encore terminée. T'aurais pas un café ? dis-je à Karine.

— Je venais d'en faire. Il est encore chaud.

— Il était pour vous, continua Jasmine. Dans ce paquet cadeau. Elle voulait vous l'offrir.

Karine revint avec une tasse de café. Kader et Driss

ne disaient plus un mot. Ils attendaient la suite d'une histoire dont ils semblaient connaître la fin.

— J'ai pas tout de suite compris ce qu'il faisait dans la voiture de mon frère, poursuivit Karine.

On y était. Cela me laissait sans voix. Ils me mettaient K.O., les mômes. Plus aucun d'eux ne souriait. Ils étaient graves.

— Samedi soir, il est passé pour m'emmener bouffer au resto. Y fait ça régulièrement. Y m'parle de mes études. Me file un peu de thune. Un grand frère, quoi ! Le livre était dans la boîte à gants. J'sais plus ce que je cherchais. J'y ai dit : « C'est quoi ? » L'a été vachement surpris. « Hein ? Ça ? Ah, ça, heu... Ben, c'est... un cadeau. C'était pour toi. Je comptais... Enfin, c'était pour après. Ben, tu peux l'ouvrir. »

« Y me faisait souvent des cadeaux, Toni. Mais un livre, ça, c'était vraiment la première fois. J'savais pas comment il avait pu en choisir un... Ça m'a touchée. J'y ai dit que je l'aimais bien. On est allé manger et j'ai mis le livre avec son emballage dans mon sac.

« Je l'avais posé là, sur l'étagère, en rentrant. Pis y a eu tout ça. Leila, l'enterrement. J'suis restée avec eux. On a dormi chez Mouloud. J'l'avais oublié, le livre. Ce midi, Jasmine, en venant me chercher, elle l'a vu. Ça s'embrouillait un peu dans nos têtes. On a appelé les garçons. Fallait qu'on tire ça au clair. Vous comprenez ? Elle s'était assise. Elle tremblait. Maintenant, on sait plus quoi faire.

Et elle éclata en sanglots.

Driss se leva et la prit dans ses bras. Il lui caressait tendrement les cheveux. Ses pleurs, c'était presque une crise de nerfs. Jasmine vint vers elle, s'agenouilla, et glissa ses mains dans celles de Karine. Kader était immobile, les coudes sur la table. Il tirait sur son pétard maladivement. Les yeux totalement absents.

J'eus le vertige. Mon cœur se mit à battre à tout rompre. Non, ce n'était pas possible ! Une expression de Karine m'avait fait sursauter. Toni. Au passé.

— Et où il est, Toni ?

Kader se leva, comme un automate. Karine, Jasmine et Driss le suivirent des yeux. Kader ouvrit la porte-fenêtre du balcon. Je me levai et m'approchai. Toni était là. Allongé sur le carrelage.

Mort.

— On allait t'appeler, je crois.

14

Où il préférable d'être en vie en enfer que mort au paradis.

Les gosses étaient au bout du rouleau. Maintenant que le corps de Toni était à nouveau sous leurs yeux, ils craquaient. Karine sanglotait toujours. Jasmine puis Driss s'y étaient mis aussi. Kader, lui, semblait avoir pété les plombs. Le shit et le whisky ne l'avaient pas arrangé. Il avait des petits rires saccadés chaque fois qu'il regardait vers le corps de Toni. Moi, je commençais à être en roue libre. Et ce n'était pas le moment.

Je fermai la porte du balcon, me servis un whisky, et allumai une cigarette.

— Bon, je dis. On reprend par le début.

Mais autant parler à des sourds-muets. Kader se mit à rire encore plus frénétiquement.

— Driss, t'emmènes Karine dans la chambre. Qu'elle s'allonge et qu'elle se repose. Jasmine, trouve-moi un tranquillisant quelconque, Lexomil ou je ne sais quoi, et tu leur en donnes un à chacun. Et t'en prends un aussi. Après, tu me refais du café. Ils me regardaient avec des yeux de martiens. Allez ! je dis, fermement, mais sans élever la voix.

Ils se levèrent. Driss et Karine disparurent dans la chambre.

— Qu'est-ce qu'on va faire ? demanda Jasmine.

Elle reprenait le dessus. De tous les quatre, elle était la plus solide. Cela se devinait dans chacun de ses gestes. Précis, assurés. Elle avait peut-être autant fumé que les trois autres, mais dû moins boire, ça, c'était évident.

— Remettre celui-là d'aplomb, répondis-je en désignant Kader.

Je le soulevai de sa chaise.

— Y fera plus chier, hein ? dit-il en éclatant de rire. On lui a niqué sa gueule, à c't'enfoiré.

— C'est où la salle de bains ?

Jasmine m'indiqua. Je poussai Kader à l'intérieur. Il y avait une minuscule baignoire. Une odeur de vomi flottait. Driss était déjà passé par là. J'attrapai Kader par le cou et l'obligeai à baisser la tête. J'ouvris le robinet d'eau froide. Il se débattit.

— Fais pas chier ! Sinon je te fous dedans !

Je lui passai une serviette, après lui avoir copieusement rincé la tête. Quand on revint dans la salle, le café était servi. On s'assit autour de la table. Dans la chambre, Karine sanglotait toujours, mais plus faiblement. Driss lui parlait. Je n'entendais pas ce qu'il lui disait, mais c'était comme une douce musique.

— Merde ! je dis à Kader et à Jasmine, vous auriez pu m'appeler !

— On voulait pas le tuer, répondit Kader.

— Vous espériez quoi ? Qu'il vous fasse des excuses ? Ce type-là, il était capable d'égorger père et mère.

— On l'a vu, dit Jasmine. Il nous a menacés. Avec une arme.

— Qui c'est qui l'a cogné ?

— Karine, d'abord. Avec le cendrier.

Un gros cendrier en verre, que j'avais rempli de mégots depuis que j'étais entré. Sous le choc, Toni s'était écroulé, lâchant son flingue. Jasmine, du pied, avait poussé l'arme sous l'armoire. Elle y était toujours, d'ailleurs. Toni avait roulé sur le ventre, pour essayer de se relever. Driss s'était jeté sur lui et l'avait pris à la gorge. « Enculé ! Enculé ! » criait-il.

« Crève-le ! » l'avait encouragé Jasmine et Kader. Driss serra de toutes ses forces, mais Toni continuait de se débattre. Karine hurlait : « C'est mon frère ! ». Elle pleurait. Elle implorait. Et elle tirait Driss par le bras, pour lui faire lâcher prise. Mais Driss n'était plus là. Il libérait sa rage. Leila n'était pas seulement sa sœur. C'était sa mère. Elle l'avait élevé, dorloté, aimé. On ne pouvait pas lui faire ça. Lui enlever deux mères dans sa vie.

Dans ses bras, les heures d'entraînement avec Mavros se libérèrent.

Toni, il était le plus fort devant les minables. Sanchez et les autres. Le plus fort une arme à la main. Là, il était perdu. Il le sut dès que les mains de Driss le prirent au cou. Et serrèrent. Les yeux de Toni criaient grâce. Ses copains ne lui avaient pas appris ça. La mort qui s'insinue petit à petit dans le corps. L'absence d'oxygène. La panique. La peur. J'avais entrevu tout ça, l'autre nuit. La force de Driss, aussi puissante que celle de monsieur Muscles. Non, je n'aurais pas aimé mourir ainsi.

Karine enserrait le torse de Driss de ses bras faibles. Elle ne criait plus. Elle pleurait en disant : « Non, non,

non. » Mais il était trop tard. Trop tard pour Leila qu'elle aimait. Trop tard pour Toni qu'elle aimait. Trop tard pour Driss, qu'elle aimait aussi. Plus fort que Leila. Bien plus fort que Toni. Driss n'entendait plus rien. Même pas Jasmine qui cria : « Arrête ! » Il serrait toujours, les yeux fermés.

Est-ce qu'elle souriait à Driss, Leila ? Est-ce qu'elle riait ? Comme ce jour-là. Nous étions partis pour aller nous baigner à Sugitton. On avait laissé la voiture sur un terre-plein du col de la Gineste, et nous avions pris un sentier, dans le massif de Puget, pour atteindre le col de la Gardiole. Leila voulait voir la mer du haut des falaises de Devenson. Elle n'y était jamais venue. C'était un des lieux les plus sublimes du monde.

Leila marchait devant moi. Elle portait un short en jeans effrangé et un débardeur blanc. Elle avait ramassé ses cheveux dans une casquette de toile blanche. Des perles de sueur coulaient dans son cou. Par moment, elles étincelaient comme des diamants. Mon regard avait suivi le cheminement de la sueur sous son débardeur. Le creux des reins. Jusqu'à sa taille. Jusqu'au balancement de ses fesses.

Elle avançait avec l'ardeur de sa jeunesse. Je voyais ses muscles se tendre, de la cheville jusqu'aux cuisses. Elle avait autant de grâce à grimper dans la colline qu'à marcher dans la rue sur des talons. Le désir me gagnait. Il était tôt, mais la chaleur libérait déjà les fortes odeurs de résine des pins. J'imaginai cette odeur de résine entre les cuisses de Leila. Le goût que cela pouvait avoir sur ma langue. À cet instant, je sus que j'allais poser mes mains sur ses fesses. Elle n'aurait pas fait un pas de plus. Je l'aurais serrée contre moi. Ses seins dans mes mains. Puis j'aurais caressé son ventre, déboutonné son short.

Je m'étais arrêté de marcher. Leila s'était retournée, un sourire aux lèvres.

— Je vais passer devant, j'avais dit.

Au passage, elle m'avait donné une tape sur les fesses, en riant.

— Qu'est-ce qui te fait rire ?

— Toi.

Le bonheur. Un jour. Il y a dix mille ans.

Plus tard sur la plage, elle m'avait posé des questions sur ma vie, sur les femmes de ma vie. Je n'ai jamais su parler des femmes que j'ai aimées. Je voulais préserver ces amours qui étaient en moi. Les raconter, c'était ramener les engueulades, les larmes, les portes qui claquent. Et les nuits qui suivent dans les draps froissés comme le cœur. Et je ne voulais pas. Je voulais que mes amours continuent de vivre. Avec la beauté du premier regard. La passion de la première nuit. La tendresse du premier réveil. J'avais répondu n'importe quoi, et le plus vaguement possible.

Leila m'avait regardé bizarrement. Puis elle m'avait parlé de ses amoureux. Elle les comptait sur les doigts d'une seule main. La description qu'elle me fit de l'homme dont elle rêvait, de ce qu'elle attendait de lui prit des allures de portrait. Cela m'effraya. Je n'aimais pas ce portrait. Je n'étais pas celui-là. Ni personne. Je lui dis qu'elle n'était qu'une midinette. Cela l'amusa, puis cela la fâcha. On se disputa, pour la première fois. Une dispute tendue par le désir.

Sur le chemin du retour, nous n'avions plus évoqué le sujet. Nous revenions, silencieux. L'un et l'autre nous avions remisé, quelque part en nous, ce désir de l'autre. Il faudra y répondre un jour, m'étais-je dit, mais ce n'était pas le jour. Le plaisir d'être ensemble, de se découvrir, importait davantage. Nous le savions. Et le reste pouvait attendre. Sa main, un peu avant de rejoindre la voiture, s'était glissée dans la mienne. Leila était une fille épatante. Avant de se quitter, ce dimanche-là, elle m'embrassa sur la joue. « T'es un type bien, Fabio. »

Leila me souriait.

Je la revoyais enfin. De l'autre côté de la mort. Ceux qui l'avaient violée, puis tuée, étaient crevés. Les fourmis pouvaient s'activer sur la charogne. Leila n'était plus attaquable. Elle avait rejoint mon cœur, et je la porterais avec moi, sur cette terre qui chaque matin donne sa chance aux hommes.

Oui, elle devait sourire à Driss, à cet instant-là. Toni, je savais que je l'aurais tué. Pour effacer l'horreur. De mes mains, comme Driss. Aussi aveuglément. Jusqu'à ce que cette saloperie qu'il avait faite lui remonte à la gorge et l'asphyxie.

Toni pissa sur lui. Driss ouvrit les yeux, mais sans cesser de lui étreindre le cou. Toni entrevit l'enfer. Le trou noir. Il se débattit une dernière fois. Un sursaut. Le dernier souffle. Puis il ne bougea plus.

Karine cessa de pleurer. Driss se redressa. Les bras ballants, au-dessus du corps de Toni. Ils n'osèrent plus bouger, ni parler. Ils n'avaient plus de haine. Ils étaient vidés. Ils ne réalisaient même pas ce que Driss venait de faire. Ce qu'ils avaient laissé faire. Ils ne pouvaient admettre qu'ils venaient de tuer un homme.

— Il est mort ? avait finalement demandé Driss.

Personne ne lui répondit. Driss eut un haut-le-cœur et courut dans les toilettes. Il y avait une heure de ça, et, depuis, ils se bourraient la gueule et fumaient des pétards. De temps en temps, ils jetaient un regard au corps. Kader se leva, il ouvrit la porte-fenêtre du balcon et, du pied, fit rouler le corps de Toni. Ne plus le voir. Et il referma.

Chaque fois qu'ils se décidaient à m'appeler, l'un d'eux avançait une autre solution. Pour chacune, il fallait toucher au corps. Et ça, ils n'osaient pas. Ils n'osaient même plus aller sur le balcon. La bouteille de whisky aux trois quarts vide, et pas de mal de pétards après, ils envisageaient de foutre le feu à la baraque et de se tirer. Le fou rire les gagna. Libérateur. J'avais cogné à la porte à cet instant-là.

Le téléphone sonna. Comme dans les mauvais feuilletons. Personne ne bougea. Ils me regardaient, attendant que je prenne une décision. Dans la chambre, Driss s'était arrêté de parler.

— On répond pas ? demanda Kader.

Je décrochai, d'un geste vif. Énervé.

— Toni ?

Une voix de femme. Une voix sensuelle, rocailleuse et chaude. Excitante.

— Qui le demande ?

Silence. J'entendais des bruits d'assiettes et de fourchettes. En fond, une musique douceâtre. Un restaurant. Les Restanques ? Et c'était peut-être Simone.

— Allo. Une voix d'homme, avec un léger accent corse. Émile ? Jospeh ? Toni n'est pas là ? Ou sa sœur ?

— Je peux prendre un message ?

On raccrocha.

— Karine a appelé Toni ce soir?

— Oui, répondit Jasmine. Pour qu'il vienne Qu'c'était urgent. Elle a un numéro, pour le joindre. Elle laisse un message. Il rappelle.

J'allai dans la chambre. Ils étaient allongés l'un contre l'autre. Karine ne pleurait plus. Driss s'était endormi, en lui tenant la main. Ils étaient adorables. Je souhaitais qu'ils traversent la vie avec ce tendre abandon.

Les yeux de Karine étaient grands ouverts. Un regard hagard. Elle était encore en enfer. Je ne savais plus dans quelle chanson Barbara disait : *Je préfère vivre en enfer, qu'être mort au paradis*. Ou quelque chose comme ça. Qu'est-ce que Karine souhaitait à cet instant?

— C'est quoi le numéro où t'as appelé Toni, tout à l'heure? lui demandai-je à voix basse.

— C'est qui qu'a appelé?

— Des copains à ton frère, je crois.

La peur passa dans ses yeux.

— Ils vont venir?

— T'inquiète, dis-je en secouant la tête. Tu les connais?

— Deux. Un avec une sale tête, l'autre, un grand baraqué. On dirait un militaire. Tous les deux, ils ont une sale tête. Le militaire, il a des yeux bizarres.

Morvan et Wepler.

— Tu les as vus souvent?

— Une fois. Mais j'les ai pas oubliés. On prenait un verre avec Toni, à la terrasse du Bar de l'Hôtel de Ville. Y s'sont assis à notre table, sans demander si ça gênait. Le militaire, il a dit : « Elle est mignonne, ta sœur ». Ça m'a pas plu, comment il a dit ça. Ni comment il m'a regardée.

— Et Toni ?

— Il a ri, mais il était mal à l'aise, je crois. « Faut qu'on parle affaires », il m'a dit. Une manière d'me demander de me tirer. L'a même pas osé m'embrasser. « J't'appelle », qu'il a fait. L'autre, j'ai senti son regard dans mon dos. J'avais honte.

— C'était quand ?

— La semaine dernière, mercredi. Mercredi midi. Le jour où Leila passait sa maîtrise. Qu'est-ce qui va se passer maintenant ?

Driss avait lâché la main de Karine et s'était retourné. Il ronflait légèrement. Par moments, il était secoué de légers tremblements. J'avais mal pour lui. Pour eux. Il leur faudrait vivre avec ce cauchemar. Est-ce qu'ils le pourraient, Karine et Driss ? Kader et Jasmine ? Je devais les aider. Les libérer de ces putains d'images qui viendraient pourrir leurs nuits. Vite. Et Driss en premier.

— Qu'est-ce qui va se passer maintenant, répéta Karine.

— Se remuer. Tes parents, ils sont où ?

— À Gardanne.

C'était pas loin d'Aix. La dernière ville minière du département. Condamnée, comme tous les hommes qui y travaillaient.

— Ton père y bosse ?

— L'ont viré, y a deux ans. Il milite au Comité de défense. Avec la CGT.

— Ça va avec eux ?

Elle haussa les épaules.

— J'ai grandi sans qu'ils s'en aperçoivent. Toni aussi. Nous éduquer, c'était construire un monde meilleur. Mon père... Elle s'arrêta, pensive. Puis elle reprit : Quand t'as trop souffert, trop compté les sous, tu vois plus rien d'la vie. Tu penses qu'à la changer. Une obsession. Toni, il aurait pu comprendre, je crois. Mon père, au lieu de lui dire je peux pas te payer d'mob, il lui a fait un discours. Qu'à son âge, de mob il en avait pas. Qu'y avait des choses plus importantes dans la vie, qu'les mobs. Le cirque, tu vois. Chaque fois, c'était la même chose. Les discours. Les prolos, les capitalistes, le Parti. Pour des fringues, l'argent de poche, la bagnole.

« La troisième fois qu'les flics y sont venus à la maison, mon père, il a viré Toni. Après, j'sais pas ce qu'il est devenu. Enfin, si je sais. Ça m'plaisait pas. Comment il était devenu. Tout ça. Les gens qu'ils fréquentaient. Les propos qu'ils tenaient sur les Arabes. J'sais pas s'il le pensait vraiment. Ou si c'était...

— Et Leila?

— J'avais envie qu'il rencontre mes amis, qu'il découvre d'autres gens. Jasmine, Leila. Ils les avaient croisées, une fois ou deux. Kader et Driss aussi. Et quelques autres. Je l'ai invité pour mon anniversaire, le mois dernier. Leila, elle lui a plu. T'sais comment c'est. On danse, on boit, on parle, on drague. Leila et lui ont beaucoup parlé, ce soir-là. Bon, il avait envie de l'embarquer, c'est sûr. Mais Leila, elle voulait pas. Elle est restée dormir ici, avec Driss.

« Il l'a revue, après. Quatre-cinq fois, je pense. À Aix. Un verre à une terrasse, une bouffe, un ciné. C'est pas allé plus loin. Leila, elle faisait ça pour moi, je crois. Plus que pour lui. Elle l'aimait pas trop, Toni. J'lui en avais pas mal parlé. Qu'il était pas ce qu'il avait l'air. J'les ai poussés l'un vers l'autre. J'me disais qu'elle pourrait le faire changer. Moi, j'y arrivais pas. J'voulais d'un frère dont j'aurais pas honte. Que j'aurais pu aimer. Comme Kader et Driss. Son regard s'envola je ne sais où. Vers Leila. Vers Toni. Ses yeux revinrent vers moi. J'sais qu'vous, elle vous aimait. Elle parlait souvent de vous.

« Elle pensait vous appeler. Après sa maîtrise. Elle était sûre de l'avoir. Elle avait envie de vous revoir. Elle m'avait dit : « Maintenant, je peux. Je suis une grande. »

Karine rit, puis les larmes revinrent dans ses yeux et elle se blottit contre moi.

— Allez, je dis. Ça va aller.

— J'comprends rien de ce qui s'est passé.

La vérité, on ne la saura jamais. Il ne pouvait y avoir que des hypothèses. La vérité appartenait à l'horreur. Je pouvais supposer que Toni avait été aperçu avec Leila à Aix. Par un de la bande. Par les pires, selon moi. Morvan. Wepler. Les fanatiques de la race blanche. Des épurations ethniques. Des solutions finales. Et qu'ils avaient dû mettre Toni à l'épreuve. Comme un bizutage. Pour l'élever au grade supérieur.

Chez les paras, on aimait ça. Ces trucs dingues. Niquer un mec de la chambre voisine. Faire une virée dans un bar de la Légion, en tuer un, et ramener son képi en guise de trophée. Se faire un ado qui a une allure de tantouze. Ils avaient signé avec la mort. La vie n'avait aucun prix. Ni la leur ni encore moins celle des autres. À Djibouti, j'en avais croisé des dingues, pires qu'eux. Laissant les putes mortes après leur passage, dans les quartiers de l'ancienne place Rimbaud. Le cou tranché. Mutilées parfois.

Nos anciennes colonies maintenant étaient ici. Capitale, Marseille. Ici comme là-bas, la vie n'existait pas. Que la mort. Et le sexe, avec violence. Pour dire sa haine de n'être rien. Que des fantômes en puissance. Les soldats inconnus des années futures. Un jour ou l'autre. En Afrique, en Asie, au Moyen-Orient. Ou même à deux heures de chez nous. Là où l'Occident était menacé. Partout où des bites impures se dresseraient pour niquer nos femmes. Blanches et Palmolive. Et avilir la race.

C'est ça qu'ils avaient dû lui demander, à Toni. Leur amener la crouille. Et se la faire. Les uns après les autres. Et Toni en premier. Il avait dû être le premier. Devant les autres. Avec son désir. Et sa rage d'avoir été repoussé. Une femme, c'est qu'un cul. Toutes des putes. Les crouilles, des culs de pute. Comme ces salopes de Juives. Les Juives, leur cul est plus rond, plus haut. Les crouilles, elles ont le cul un peu bas, non ? Les négresses aussi. Le cul des négresses, ah ! m'en parle pas ! Ça vaut le déplacement.

Les deux autres y étaient allés, après. Pas Morvan, ni Wepler. Non, les deux autres. Les aspirants nazis. Ceux qui étaient crevés sur le carreau, place de l'Opéra. Sans doute n'avaient-ils pas été à la hauteur, quand il avait fallu cartonner sur Leila. Niquer les crouilles, c'était une chose. Les abattre, sans que le bras ne tremble, ça ne devait pas être aussi simple.

Morvan et Wepler voyeurs. C'est ce que j'imaginais.

Maîtres de cérémonie. Est-ce qu'ils s'étaient branlés en les regardant. Ou s'étaient-ils accouplés après, avec la nostalgie des amours SS. Des amours mâles. Viriles. Des amours de guerriers. Et quand avaient-ils décidé que le survivant de cette nuit serait celui qui placerait sa balle le plus près du cœur de Leila ?

Est-ce que Toni avait eu pitié de Leila en l'enfilant ? Une seconde au moins. Avant que lui aussi ne bascule dans l'horreur. L'irrémédiable.

Je reconnus la voix de Simone. Et elle reconnut la mienne. Le numéro où Karine laissait des messages à son frère, c'était bien les Restanques. Elle l'avait appelé là-bas ce soir.

— Passez-moi Émile. Ou Jospeh.

Toujours de la musique à vomir. Caravelli et ses violons magiques. Ou une saleté de ce genre. Mais moins de bruits d'assiettes et de fourchettes. Les Restanques se vidaient. Il était minuit dix.

— Émile, dit la voix.

Celle de tout à l'heure.

— Montale. Pas besoin de te faire un dessin, tu vois qui je suis.

— Je t'écoute.

— Je vais arriver. Je veux qu'on discute. Une trêve. J'ai des propositions à faire.

Je n'avais aucun plan. À part les tuer tous. Mais ce n'était qu'une utopie. Juste ce qu'il fallait pour tenir le coup. Faire ce qu'il y avait à faire. Avancer. Survivre. Encore une heure. Un siècle.

— Seul ?

— J'ai pas encore levé d'armée.

— Toni ?

— Il a avalé sa langue.

— T'as intérêt à avoir des arguments. Parce que pour nous t'es déjà mort.

— Tu te vantes, Émile. Moi mort, vous serez tous serrés. J'ai vendu l'histoire à un canard.

— Aucun baveux osera rien écrire.

— Ici non. À Paris, oui. Si j'appelle pas à deux heures, ça roule pour la dernière édition.

— T'as qu'une histoire. Pas de preuves.

— J'ai tout. Tout ce que Manu a raflé chez Brunel. Les noms, les relevés de banque, les carnets de chèques, les achats, les fournisseurs. La liste des bars, des boîtes, des restautants rackettés. Mieux, les noms et adresses de tous les industriels locaux qui soutiennent le Front national.

J'en rajoutais, mais ce devait être dans l'ordre des choses. Batisti m'avait bluffé sur toute la ligne. Si Zucca avait eu le moindre soupçon sur Brunel, il aurait envoyé deux de ses hommes chez l'avocat, à son bureau. Une balle dans la tête, pour seul commentaire. Le ménage aurait été fait dans la foulée. Zucca avait passé l'âge des tergiversations. Il y avait une ligne. Droite. Et rien ne devait l'infléchir. C'est ainsi qu'il avait réussi.

Et Zucca, un boulot comme ça, il ne l'aurait pas confié à Manu. Ce n'était pas un tueur. Batisti avait envoyé Manu chez Brunel pour son compte. J'ignorais pourquoi. À quelles fins. Quel jeu il jouait sur cet échiquier pourri ? Babette était catégorique. Il ne trempait plus dans les affaires. Manu avait marché dans la combine. Un travail pour Zucca ne se refusait jamais. Il faisait confiance à Batisti. Et on ne crachait pas sur autant de pognon aligné.

J'en étais arrivé à ces conclusions. Elles étaient boiteuses. Elles soulevaient encore plus de questions qu'elles n'en résolvaient. Mais je n'étais plus à ça près. Et j'étais allé trop loin. Je voulais les avoir, tous, en face de moi. La vérité. Dussè-je en crever.

— On ferme dans une heure. Amène la paperasse.

Il raccrocha. Batisti avait donc les documents. Et il avait fait tuer Zucca par Ugo. Et Manu ?

Mavros arriva vingt minutes après mon appel. Je n'avais trouvé que cette solution. L'appeler. Lui passer le relais. Lui confier Driss, et Karine. Il ne dormait pas. Il visionnait *Apocalypse now* de Coppola. À mon avis, c'était bien la quatrième fois. Ce film le subjuguait, et il ne le comprenait pas. Je me souvenais la chanson des Doors. *The End*.

C'était toujours la fin, annoncée, qui s'avançait vers nous. Il suffisait d'ouvrir les journaux à la page internationale ou à la rubrique fait divers. Il n'était nul besoin d'armes nucléaires. Nous nous entretuerons avec une sauvagerie préhistorique. Nous n'étions que des dinosaures, mais le pire, c'est que nous le savions.

Mavros n'hésita pas. Driss valait bien les risques courus. Ce gosse-là, il l'avait aimé dès que je le lui avais présenté. Ces choses étaient inexpliquables. Tout autant que l'attirance amoureuse, qui vous fait désirer un être plus qu'un autre. Il mettrait Driss sur un ring. Il le ferait cogner. Il le ferait penser. Penser au poing gauche, au poing droit. À l'allonge du bras. Il le ferait parler. De lui, de la mère qu'il n'avait pas connue, de Leila. De Toni. Jusqu'à ce qu'il se mette en règle avec ce qu'il avait fait par amour et par haine. On ne pouvait pas vivre avec de la haine. Boxer non plus. Il y avait des règles. Elles étaient injustes, souvent, trop souvent. Mais les respecter permettait de sauver sa peau. Et dans ce foutu monde, rester vivant c'était quand même la plus belle des choses. Driss, il saurait l'écouter, Mavros. Sur les conneries, il en connaissait un bon registre. À dix-neuf ans, il avait écopé d'un an de taule pour avoir cogné son entraîneur. Il avait truqué le match qu'il devait gagner. Quand on avait enfin pu l'arrêter, le mec était presque claqué. Et Mavros n'avait jamais pu prouver que le combat était arrangé. En taule, il avait médité sur tout ça.

Mavros me fit un clin d'œil. On était d'accord. On ne pouvait laisser à aucun des quatre mômes la charge d'assumer un meurtre. Toni ne méritait rien. Rien de plus que ce qu'il avait trouvé ce soir. Eux, je voulais qu'ils aient leur chance. Ils étaient jeunes, ils s'aimaient. Mais, même avec un bon avocat, aucun argument ne tiendrait. La légitime défense ? Cela resterait à prouver. Le viol de Leila ? Il n'y avait aucune preuve. Au procès, ou même avant, harcelée, Karine raconterait comment les choses s'étaient passées. Il n'y aurait plus qu'un Arabe des quartiers Nord tuant, de sang-froid, un jeune homme. Un voyou, certes, mais un Français, fils d'ouvrier. Et deux Arabes complices, et une fille, la jeune sœur, sous leur emprise. Je n'étais même pas sûr que les parents de Karine, sur les conseils de leur avocat, ne chargeraient pas Driss, Kader et Jasmine. Pour implorer pour leur fille des circonstances atténuantes. Je voyais déjà le tableau. Je n'avais plus confiance en la justice de mon pays.

Quand on souleva Toni, je sus que je me mettais hors la loi. Et que j'y entraînais Mavros. Mais la question ne se posait plus. Mavros avait déjà tout prévu. Il fermait la salle, jusqu'en septembre, et il emmenait Driss et Karine à la montagne. Dans les Hautes-Alpes. À Orcières, où il avait un petit chalet. Randonnées, piscine, vélo étaient au menu. Karine n'avait plus cours, et Driss, du garage et du cambouis, il frôlait l'overdose. Kader et Jasmine partiraient demain pour Paris. Avec Mouloud, s'il le voulait. Il pourrait vivre avec eux. Kader en était sûr, l'épicerie, à trois, on pouvait en vivre.

J'avais avancé la Golf de Toni devant la porte. Kader fit le guet dehors. Mais ça craignait rien. Le vrai désert. Ni un chat, ni même un rat. Que nous, en train de truquer la réalité, faute de pouvoir transformer le monde. Mavros ouvrit la portière arrière et je fis glisser le corps de Toni. Je contournai la voiture, ouvris la portière et assis Toni. Je le maintins avec la ceinture de sécurité. Driss vint vers moi. Je ne savais que dire. Lui non plus. Alors il me prit dans ses bras et me serra contre lui. Et m'embrassa. Puis Kader, Jasmine et Karine. Personne ne dit un mot. Mavros passa son bras autour de mon épaule.

— Je te donne des nouvelles.

Je vis Kader et Jasmine monter dans la Panda de Leila, Driss et Karine grimper dans le 4x4 de Mavros. Ils démarrèrent. Tout le monde partait. J'eus une pensée pour Marie-Lou. Bonjour tristesse. Je me mis au volant de la Golf. Un coup d'œil dans le rétroviseur. Toujours le désert. J'enclenchai la première. Et vogue la galère !

15

Où la haine du monde est l'unique scénario.

J'avais une demi-heure de retard et cela me sauva. Les Restanques étaient illuminées comme pour un 14 juillet. Par une trentaine de gyrophares. Voitures de gendarmerie, voitures de police, ambulances. La demi-heure qu'il m'avait fallu pour emmener la Golf de Toni au troisième sous-sol du parking du Centre Bourse, d'effacer toutes les empreintes, de trouver un taxi et de revenir à la Belle-de-Mai récupérer ma voiture.

J'eus du mal à trouver un taxi. Le comble, m'étais-je dit, aurait été de tomber sur Sanchez. Mais non. Je n'eus qu'une copie conforme. Avec en prime la flamme du Front national collée au-dessus du compteur. Cours Belzunce, n'importe quelle voiture de flic aurait pu m'arrêter. Marcher seul à cette heure était en soi un délit. Aucune ne passa. On pouvait se faire assassiner facilement. Mais je ne croisai pas non plus d'assassin. Tout le monde dormait en paix.

Je me garai de l'autre côté du parking des Restanques. Sur la route, deux roues dans l'herbe, derrière une voiture de Radio France. La nouvelle s'était vite répandue. Tous les journalistes semblaient être là, contenus, avec peine, par un cordon de gendarmes devant l'entrée du restaurant. Babette devait être quelque part. Même si elle ne traitait jamais de l'actualité immédiate, elle aimait être sur les coups. Une vieille habitude de journalistes localiers.

Je l'aperçus, légèrement sur la gauche de l'équipe de France 3. Je m'approchai d'elle, passai mon bras autour de son épaule et lui murmurai à l'oreille :

— Et avec ce que je vais te raconter, tu tiens le plus grand papier de ta vie. Je posai un baiser sur sa joue. Salut, ma belle.

— T'arrives après le massacre.

— J'ai failli en être. Alors, je suis plutôt fier de moi !

— Déconne pas !

— On sait qui a été liquidé ?

— Émile et Joseph Poli. Et Brunel.

Je fis la grimace. Restaient dans la nature les deux plus dangereux. Morvan et Wepler. Et Batisti aussi. Puisque Simone était en vie, Batisti devait l'être aussi. Qui avait fait le coup ? Les Italiens auraient liquidé tout le monde. Morvan et Wepler ? Et ils rouleraient pour Batisti ? Je me perdais en conjectures.

Babette me prit la main et m'entraîna à l'écart des journalistes. On alla s'asseoir par terre, le dos appuyé au muret du parking et elle me raconta ce qui s'était passé. Enfin, ce qu'on leur avait dit.

Deux hommes avaient fait irruption à l'heure de la fermeture, vers minuit. Un dernier couple de clients venait à peine de partir. Dans les cuisines, il n'y avait plus personne. Il ne restait qu'un des serveurs. Il était blessé, mais légèrement. À son avis, c'était plus qu'un serveur. Un garde du corps. Il avait plongé sous le comptoir et avait fait feu sur les agresseurs. Il était toujours à l'intérieur. Auch avait voulu l'interroger immédiatement, comme Simone.

Je lui racontai tout ce que je savais. Pour la seconde fois de la journée. Je terminai avec Toni, et les sous-sols du Centre Bourse.

— T'as raison pour Batisti. Mais pour Morvan et Wepler, tu te goures. Ceux sont tes deux Ritals qui ont fait le coup. Pour le compte de Batisti. En accord avec la Camorra. Mais d'abord lis ça.

Elle me tendit la photocopie d'une coupure de presse. Un article sur la tuerie du Tanagra. L'un des truands abattu était le frère aîné de Batisti, Tino. Il était de notoriété publique que Zucca avait commandité l'opération. Chacun se plaçait pour succéder à Zampa. Tino plus que tous. Zucca l'avait pris de vitesse. Et Batisti avait raccroché. La vengeance au cœur.

Batisti avait joué sur tous les tableaux. Une apparente entente avec Zucca, après avoir décroché et renoncé à toute participation dans les affaires. Des liens familiaux avec les frères Poli, et donc amicaux avec Brunel, puis, plus tard, avec Morvan et Wepler. De bonnes et étroites relations avec les Napolitains. Trois fers au feu depuis des années. Ma discussion avec lui, chez Félix, prenait tout son sens.

Sa revanche, il commença à y croire quand *O Pazzo* fut arrêté. Zucca n'était plus aussi intouchable. Le correspondant romain de Babette avait rappelé dans la soirée. Il avait eu de nouvelles informations. En Italie, les juges n'y allaient plus par quatre chemins. Des têtes tombaient chaque jour, livrant de précieuses informations. Si Michele Zaza était tombé, c'est que sa branche marseillaise était pourrie. Il fallait la couper d'urgence. Et reprendre les affaires avec un nouvel homme. C'est tout naturellement Batisti qui avait été contacté par la *Nueva Famiglia* pour opérer le virage.

Il était net. Il n'était plus sous surveillance policière. Depuis quinze ans son nom n'était apparu nulle part. Par Simone, via les frères Poli et Morvan, Batisti avait su que l'étau se resserrait autour de Zucca. La brigade d'Auch planquait en permanence près de chez lui. Il était suivi, même lors des promenades avec son caniche. Batisti informa les Napolitains et envoya Manu chez Brunel pour récupérer tous les papiers compromettants. Leur faire changer de mains.

Zucca préparait son repli sur l'Argentine. Batisti s'y résignait, à contrecœur. Ugo débarqua. Avec suffisamment de haine pour ne rien sentir du piège qu'on lui tendait. J'y perdais mon latin, mais une chose était sûre : envoyé par Batisti, Ugo avait flingué Zucca sans que la brigade d'Auch n'intervienne. Il l'avait descendu après. Armé ou pas, il l'aurait quand même liquidé. Mais une question restait entière : qui avait tué Manu, et pourquoi ?

— Batisti, dit Babette. Comme il vient de faire exécuter les autres. La grande lessive.

— Tu crois que Morvan et Wepler y sont passés aussi ?

— Ouais. Je crois ça.

— Mais il n'y a que trois cadavres.

— Les autres vont arriver, par chronopost ! Elle me regarda. Allez, souris, Fabio.

— Ça ne peut pas être ça. Pour Manu. Il était mêlé à rien de tout ça. Il comptait se barrer, le coup fait. Il l'avait dit à Batisti. Tu vois, Batisti, il m'a niqué sur toute la ligne. Sauf là. Il l'aimait bien, Manu. Sincèrement.

— T'es trop romantique, mon chou. T'en crèveras.

On se regarda avec des yeux de lendemain de bringue.

— Total Khéops, hein ?

— Tu l'as dit, ma belle.

Et j'étais au centre du bourbier. À patauger dans la merde des autres. Ce n'était qu'une histoire banale de voyous. Une histoire de plus, et sans doute pas la dernière. L'argent, le pouvoir. L'histoire de l'humanité. Et la haine du monde pour unique scénario.

— Ça va ?

Babette me secouait doucement. Je m'étais assoupi. La fatigue, et trop d'alcool. Je me souvins qu'en quittant les mômes j'avais emporté la bouteille de Chivas. Il en restait encore un bon fond. Je fis à Babette ce qui se voulait ressembler à un sourire et me levai péniblement.

— Je manque de carburant. J'ai ce qu'il faut dans la voiture. T'en veux ?

Elle secoua la tête.

— Arrête de picoler !

— Je préfère mourir comme ça. Si tu permets.

Devant les Restanques, le spectacle continuait. On sortait les cadavres. Babette partit aux nouvelles. Je m'envoyai deux grandes rasades de whisky. Je sentis l'alcool descendre dans les boyaux et répandre sa chaleur dans tout le corps. Ma tête se mit à tourner. Je m'appuyai sur le capot. Mes tripes remontaient à la gorge. Je me tournai vers le bas-côté pour dégueuler dans l'herbe. C'est alors que je les vis. Étendus dans le fossé.

Deux corps inertes. Deux cadavres de plus. Je ravalai mes tripes, et ce fut dégueulasse.

Je me glissai avec précaution dans le fossé et je m'accroupis près des corps. Dans leur dos, on avait réussi un carton plein. Avec un pistolet-mitrailleur. Pour eux, fini le tourisme et les chemises à fleurs. Je me relevai, la tête bourdonnante. Chronopost n'avait pas livré les cadavres attendus. Toutes nos théories tombaient à l'eau. J'allai m'extraire du fossé quand j'aperçus, plus loin dans le champ, une tache sombre. Je risquai un coup d'œil vers les Restanques. Tout le monde était occupé. À espérer une déclaration, une explication d'Auch. En trois enjambées, j'étais à côté d'un troisième cadavre. La tête bouffant la terre. Je sortis un kleenex pour déplacer légèrement le visage vers moi, puis j'approchai la flamme du briquet. Morvan. Son 38 Spécial à la main. Fin de carrière.

J'attrapai Babette par le bras. Elle se retourna.

— Qu'est-ce que t'as ? T'es tout blanc.

— Les Ritals. Crevés. Et Morvan aussi. Dans le fossé et dans le champ… À côté de ma tire.

— De Dieu !

— T'avais raison. Avec les Ritals, Batisti s'est mis à la lessive.

— Et Wepler ?

— Dans la nature. À mon avis, au début de la fusillade, Morvan a réussi à se barrer. Ils l'ont pourchassé. Oubliant Wepler. Le peu que tu m'en as dit, il devait être du genre à planquer, quelque part autour. Attendant mon arrivée et pour s'assurer que j'étais bien seul. Les deux Ritals, ça a dû l'intriguer, pas l'inquiéter.

Le temps qu'il pige, ça explosait. Quand ils sont ressortis, courant après Morvan, il a les a pris en revers.

Les flashs se mirent à crépiter. Besquet et Paoli soutenaient une femme. Simone. Auch suivait dix pas derrière. Les mains enfoncées dans les poches de sa veste, comme à son habitude. L'air grave. Très grave.

Simone traversa le parking. Un visage émacié, aux traits fins, encadré de cheveux noirs coupés mi-longs. Svelte, assez grande pour une Méditerranéenne. De la classe. Elle portait un tailleur de lin écru qui mettait en valeur le hâle de sa peau. Elle était identique à sa voix. Belle et sensuelle. Et fière, comme les femmes corses. Elle s'arrêta, prise de sanglots. Des larmes calculées. Pour permettre aux photographes de faire leur métier. Elle tourna lentement vers eux son visage bouleversé. Elle avait des yeux noirs immenses, magnifiques.

— Elle te plaît ?

C'était bien plus que ça. Elle était le type de femme après qui Ugo, Manu et moi on courait. Simone elle ressemblait à Lole. Et je compris.

— Je me casse, dis-je à Babette.

— Explique-moi.

— Pas le temps. J'attrapai une de mes cartes de visite. Sous mon nom, j'écrivis le téléphone personnel de Pérol. Au dos, une adresse. Celle de Batisti. T'essaies de joindre Pérol. Au bureau. Chez lui. N'importe où. Tu le trouves, Babette. Tu lui dis de venir à cette adresse. Vite. OK ?

— Je vais avec toi.

Je l'attrapai par les épaules et la secouai.

— Pas question ! T'as pas à te mêler de ça. Mais tu peux m'aider. Trouve-moi Pérol. Ciao.

Elle me rattrapa par la veste.

— Fabio !

— T'inquiète. Je te paierai les communications.

Batisti habitait rue des Flots-Bleus, au-dessus du pont de la Fausse-Monnaie, une villa qui surplombait Malmousque, la pointe de terre la plus avancée de la rade. Un des plus beaux quartiers de Marseille. Les villas, construites sur la roche, avaient une vue magnifique, et totale. De la Madrague de Montredon, sur la gauche, et bien après l'Estaque sur la droite. Devant, les îles d'Endoume, le Fortin, la Tour du Canoubier, le Château d'If et les îles du Frioul, Pomègues et Ratonneaux.

Je roulai le pied au plancher, en écoutant un viel enregistrement de Dizzy Gillespie. J'arrivai place d'Aix quand il attaqua *Manteca*, un morceau que j'adorai. L'une des premières rencontres du jazz et de la salsa.

Les rues étaient désertes. Je pris par le port, longeai le quai de Rive-Neuve où quelques groupes de jeunes traînaient encore devant le Trolleybus. J'eus une autre pensée pour Marie-Lou. Pour cette nuit passée à danser avec elle. Le plaisir que j'y avais pris m'avait ramené des années en arrière. À cette époque où tout était encore prétexte à vivre de nuits blanches. J'avais dû vieillir un matin, en rentrant dormir. Et je ne savais pas comment.

Je me débattais dans une autre nuit blanche. Dans une ville endormie, où, même devant le Vamping, ne traînait plus une seule prostituée. J'allais jouer à la roulette russe toute ma vie passée. Ma jeunesse et mes amitiés. Manu, Ugo. Toutes les années qui suivirent. Les meilleures et les pires. Les derniers mois, les derniers jours. Contre un avenir où je pourrais dormir en paix.

L'enjeu n'était pas assez grand. Je ne pouvais affronter Batisti avec simplement des rêves de pêcheur à la ligne. Il me restait quoi dans mon jeu ? Quatre dames. Babette pour l'amitié trouvée. Leila comme un rendez-vous manqué. Marie-Lou par une parole donnée. Lole perdue et attendue. Trèfle, pique, carreau, cœur. Va pour l'amour des femmes, me dis-je en me garant cent mètres avant la villa de Batisti.

Il devait attendre un appel de Simone. Avec quelques inquiétudes, quand même. Parce que après mon appel aux Restanques, il avait dû se décider très vite. Tous nous liquider d'un seul coup. Agir dans la précipitation, ce n'était pas son genre à Batisti. Il était calculateur, comme tous les rancuniers. Il agissait froidement. Mais l'occasion était trop belle. Elle ne se reproduirait plus et il était proche du but qu'il s'était fixé, quand il avait enterré Tino.

Je fis le tour de la villa. La grille d'accès était fermée et il n'était pas question de faire sauter un telle serrure. De plus, elle devait être reliée à un signal d'alarme. Je ne me voyais pas sonner et dire : « Salut Batisti, c'est moi, Montale. » Coincé. Puis je me souvins que toutes ces bâtisses étaient accessibles à pied, par d'anciens chemins qui descendaient directement sur la mer. Ce quartier, avec Ugo et Manu, nous l'avions écumé dans les moindres recoins. Je repris la voiture, me laissai descendre, sans mettre le moteur, jusqu'à la Corniche. J'embrayai, roulai cinq cents mètres et pris à gauche, par le vallon de la Baudille. Je me garai et continuai à pied, par les escaliers de la traverse Olivary.

J'étais exactement à l'est de la villa de Batisti. Devant le mur de clôture de sa propriété. Je le longeai et je trouvai ce que je cherchais. La vieille porte en bois qui donnait sur le jardin. Elle était recouverte de vigne vierge. Elle n'avait plus dû servir depuis des lustres. Il n'y avait plus de serrure, ni de clenche. Je poussai la porte et entrai.

Le rez-de-chaussée était éclairé. Je contournai la maison. Un vasistas était ouvert. Je sautai, me rétablis et me glissai à l'intérieur. La salle de bains. Je dégainai mon arme et m'engageai dans la maison. Dans un grand salon, Batisti était en short et tricot de peau, assoupi devant l'écran télé. Une cassette vidéo. *La Grande Vadrouille*. Il ronflait légèrement. Je m'approchai doucement et lui mis mon flingue sur la tempe. Il sursauta.

— Un revenant. Il écarquilla les yeux, réalisa et pâlit. J'ai laissé les autres aux Restanques. J'aime pas trop les fêtes de famille. Ni les Saint-Valentin. Tu veux les détails ? Le nombre de cadavres, tout ça ?

— Simone ? articula-t-il.

— En pleine forme. Très belle, ta fille. T'aurais pu me la présenter. J'aime bien ce genre de femme, moi aussi. Merde ! Tout pour Manu, rien pour ses petits copains.

— Qu'est-ce que tu chantes ?

Il se réveillait.

— Tu bouges pas, Batisti. Mets tes mains dans les poches du short, et bouge pas. Je suis fatigué, je me contrôle plus très bien. Il obéit. Il réfléchissait. N'espère plus rien. Tes deux Ritals sont morts aussi.

« Parle-moi de Manu. C'est quand qu'il a rencontré Simone ?

— Deux ans. Peut-être plus. Sa copine, je sais plus où elle était. En Espagne, je crois. Je l'avais invité à manger la bouillabaisse, à l'Épuisette, au Vallon des Auffes. Simone s'était jointe à nous. Aux Restanques, c'était jour de fermeture. Ils ont bien accroché, mais je me suis pas rendu compte. Pas tout de suite. Simone et Manu, moi ça me déplaisait pas. Les frères Poli, c'est vrai, j'ai jamais pu les encaisser. Surtout Émile.

« Puis la fille, elle est revenue. J'ai cru que c'était terminé entre lui et Simone. Ça me soulageait. J'avais peur d'une engatse. Émile, c'est un violent. Je m'étais gouré. Ils ont continué et…

— Passe les détails.

— Un jour, j'ai dit à Simone : Manu y fait encore un boulot pour moi, et y se casse à Séville, avec sa copine. Ah ! elle a fait Simone, je savais pas. J'ai pigé que c'était pas fini entre tous les deux. Mais c'était trop tard, j'avais gaffé.

— Elle l'a tué ? C'est ça ?

— Il lui avait dit qu'ils partiraient ensemble. Au Costa-Rica, ou quelque part par là. Ugo lui avait dit que c'était chouette, comme pays.

— Elle l'a tué ? C'est ça ? répétai-je. Dis-le ! Nom de Dieu de merde !

— Ouais.

Je lui tirai une claque. Une que je ruminais depuis longtemps. Et puis une deuxième, une troisième. En pleurant. Parce que je savais, je ne pourrais pas appuyer sur la gâchette. Ni même l'étrangler. J'étais sans haine. Que du dégoût. Rien que dégoût. Est-ce que je pouvais en vouloir à Simone d'être aussi belle que Lole ? Est-ce que je pouvais en vouloir à Manu d'avoir baisé le fantôme d'un amour ? Est-ce que je pouvais en vouloir à Ugo d'avoir brisé le cœur de Lole ?

J'avais posé mon arme et je m'étais jeté sur Batisti. Je l'avais soulevé et continuais de lui tirer des claques. Ce n'était plus qu'un mollusque. Je le lâchai et il s'affala sur le sol, à quatre pattes. Il me jeta un regard de chien. Peureux.

— Tu mérites même pas une balle dans la tête, je dis, pensant que c'était pourtant ça que j'avais envie de faire.

— C'est toi qui le dis, cria une voix derrière nous. Le connard, allonge-toi par terre, les jambes écartées et les mains sur la tête. Le vieux, tu restes comme t'es.

Wepler.

Je l'avais oublié.

Il nous contourna, ramassa mon arme, vérifia si elle était chargée et ôta le cran de sûreté. Il avait un bras en sang.

— Merci d'avoir montré le chemin, connard ! dit-il en m'envoyant un coup de pied.

Batisti suait à grosses gouttes.

— Wepler, attends ! implora-t-il.

— T'es pire que tous les niaquoués réunis. Pire que ces putains de crouilles. Mon arme à la main, il s'approcha de Batisti. Il posa le canon sur sa tempe. Lève-toi. T'es qu'une larve, mais tu vas mourir debout.

Batisti se redressa. C'était obscène, cet homme en

short et tricot de peau, avec la sueur dégoulinant sur ses bourrelets de graisse. Et cette peur dans les yeux. Tuer c'était simple. Mourir…

Le coup de feu partit.

Et la pièce résonna de plusieurs détonations. Batisti s'écroula sur moi. Je vis Wepler faire deux pas, comme des entrechats. Il y eut un autre coup de feu, et il passa à travers la porte vitrée de la salle.

J'avais plein de sang sur moi. Le sang pourri de Batisti. Ses yeux étaient ouverts. Qui me regardaient. Il balbultia :

— Ma-nu… je ai…mai.

Un flot de sang m'éclaboussa le visage. Et je vomis.

Puis je vis Auch. Et les autres. Sa brigade. Puis Babette qui courut vers moi. Je repoussai le corps de Batisti. Babette s'agenouilla.

— T'as rien?

— Pérol? Je t'avais dit Pérol.

— Un accident. Ils ont pris en chasse une voiture. Une Mercedes, avec des Gitans. Cerutti a perdu le contrôle de la voiture, sur l'autoroute du Littoral, à la hauteur du bassin de Radoub. La glissière. Il est mort sur le coup.

— Aide-moi, lui dis-je en lui tendant la main.

J'étais sonné. La mort était partout. Sur mes mains. Sur mes lèvres. Dans ma bouche. Dans mon corps. Dans ma tête. J'étais un mort vivant.

Je vacillai. Babette glissa son bras sous mon épaule. Auch vint au-devant de nous. Les mains dans ses poches, comme toujours. Sûr. Fier. Fort.

— Ça va? dit-il en me regardant

— Comme tu vois. L'extase.

— T'es qu'un emmerdeur, Fabio. Dans quelques jours, on les serrait tous. T'as foutu le souk. Et on n'a plus que des cadavres.

— Tu savais ? Morvan ? Tout ?

Il opina de la tête. Satisfait de lui, somme toute.

— Ils n'ont pas arrêté de faire des conneries. La première, ça été ton pote. C'était trop gros.

— Tu savais pour Ugo aussi ? T'as laissé faire ?

— Il fallait aller jusqu'au bout. On préparait le coup de filet du siècle ! Des arrestations sur toute l'Europe.

Il me tendit une cigarette. Je lui envoyai mon poing dans la gueule, avec une force que j'étais allé chercher au plus profond des trous noirs et humides où croupissaient Manu, Ugo et Leila. En hurlant.

Et je m'évanouis, me sembla-t-il.

ÉPILOGUE

Rien ne change, et c'est un jour nouveau.

L'envie de pisser me réveilla vers midi. Le répondeur affichait six messages. Je n'en avais rien à foutre, vraiment. Je replongeai aussitôt dans le noir le plus épais, comme celui d'une enclume que j'aurais percutée. Le soleil se couchait quand je refis surface. Onze messages, qui pouvaient tous bien attendre encore. Dans la cuisine, un petit mot d'Honorine. « Pas vu que vous dormiez. J'ai mis du farci dans le frigo. Marie-Lou a appelé. Ça va. Elle vous embrasse. Babette, elle a ramené votre voiture. Elle vous embrasse aussi. » Elle avait rajouté : « Dites, votre téléphone, il est en panne ou quoi ? Moi aussi, je vous embrasse. » Et encore au-dessous : « J'ai lu le journal. »

Je ne pourrais pas rester longtemps ainsi. Derrière la porte, la terre continuait de tourner. Il y avait quelques salauds de moins sur la planète. C'était un autre jour, mais rien n'avait changé. Dehors, ça sentirait toujours le pourri. Je n'y pourrais rien. Ni personne. Ça s'appelait la vie, ce cocktail de haine et d'amour, de force et de faiblesse, de violence et de passivité. Et j'y étais attendu. Mes chefs, Auch, Cerutti. La femme de Pérol. Driss, Kader, Jasmine, Karine. Mouloud. Mavros. Djamel peut-être. Marie-Lou qui m'embrassait. Et Babette et Honorine qui m'embrassaient aussi.

J'avais tout mon temps. Besoin de silence. Pas envie de bouger, encore moins de parler. J'avais un farci, deux tomates et trois courgettes. Au moins six bouteilles de vin, dont deux Cassis blanc. Une cartouche de cigarettes à peine entamée. Suffisamment de Lagavulin. Je pouvais faire face. Encore une nuit. Et un jour. Et une nuit encore, peut-être.

Maintenant que j'avais dormi, que j'étais libéré de l'abrutissement des dernières vingt-quatre heures, les fantômes allaient lancer leur assaut. Ils avaient commencé. Par une danse macabre. J'étais dans la baignoire, à fumer, un verre de Lagavulin près de moi. J'avais fermé les yeux, un instant. Ils avaient tous rappliqué. Masses informes, cartilagineuses et sanguinolentes. En décomposition. Sous la conduite de Batisti, ils s'activaient à déterrer les corps de Manu et d'Ugo. Et de Leila, en lui arrachant ses vêtements. Je n'arrivais pas à ouvrir la tombe pour descendre les sauver. Les arracher à ces monstres. Peur de mettre un pied dans le trou noir. Mais Auch, derrière moi, les mains dans les poches, me poussait à coups de pied au cul. Je basculais dans l'abîme poisseux. Je sortis la tête de l'eau. Respirant fort. Puis je m'aspergeai d'eau froide.

Nu, mon verre à la main, je restai à regarder la mer par la fenêtre. Une nuit sans étoiles. C'était bien ma chance ! Je n'osai aller sur la terrasse de peur de rencontrer Honorine. Je m'étais lavé, frotté, et l'odeur de la mort imprégnait toujours ma peau. Elle était dans ma tête, c'était pire. Babette m'avait sauvé la vie. Auch aussi. J'aimais l'une. Je détestais l'autre. Je n'avais toujours pas faim.

Et le bruit même des vagues m'était insupportable. M'énervait. J'avalai deux Lexomil et me recouchai.

Je fis trois choses en me levant le lendemain, vers huit heures. Je pris un café avec Honorine sur la terrasse. On parla de tout et de rien, puis du temps, de la sécheresse et des feux qui redémarraient déjà. Je rédigeai ensuite ma lettre de démission. Concise, laconique. Je ne savais plus trop bien qui j'étais, mais certainement plus un flic. Puis je nageai, trente-cinq minutes. Sans me presser. Sans forcer. En sortant de l'eau, je regardai mon bateau. Il était encore trop tôt pour y toucher. Je devais aller à la pêche pour Pérol, sa femme et sa fille. Je n'avais plus aucune raison d'y aller, maintenant. Demain, peut-être. Ou après-demain. Le goût de la pêche reviendrait. Et avec lui celui des plaisirs simples. Honorine m'observait en haut des marches. Elle était tristounette de me voir ainsi, mais elle ne me poserait aucune question. Elle attendrait que je parle, si je le voulais. Elle rentra chez elle avant que je ne remonte.

Je mis des chaussures de marche, pris une casquette et emportai un sac à dos, avec une thermos d'eau, une serviette éponge. J'avais besoin de marcher. La route des calanques avait toujours su apaiser mon cœur. Je m'arrêtai chez un fleuriste au rond-point de Mazargue. Je choisis douze roses et les fis livrer chez Babette. Je t'appellerai. Merci. Et je filai vers le col de la Gineste.

Je rentrai tard. J'avais marché. D'une calanque à l'autre. Puis j'avais nagé, plongé, escaladé. Concentré sur mes jambes, mes bras. Mes muscles. Et le souffle. Aspirer, expirer. Avancer une jambe, un bras. Et encore une jambe, un bras. Suer toutes les impuretés, boire, suer encore. Une réoxygénation. La totale. Je pouvais revenir chez les vivants.

Menthe et basilic. L'odeur envahit mes poumons, refaits à neuf. Mon cœur se mit à battre frénétiquement. Je respirai à fond. Sur la table basse, les plants de menthe et de basilic, que j'avais arrosés à chacun de mes passages chez Lole. À côté, une valise en toile, et une autre, plus petite, en cuir noir.

Lole apparut dans l'encadrement de la porte de la terrasse. En jeans et débardeur noirs. Sa peau luisait, cuivrée. Elle était telle qu'elle avait toujours été. Telle que je n'avais cessé de la rêver. Belle. Elle avait traversé le temps, intacte. Son visage s'illumina d'un sourire. Ses yeux se posèrent sur moi.

Son regard. Sur moi.

— J'ai appelé. Ça ne répondait pas. Une quinzaine de fois. J'ai pris un taxi et je suis venue.

Nous étions là, face à face. À un mètre à peine. Sans bouger. Les bras ballants, le long du corps. Comme surpris de nous retrouver l'un devant l'autre. Vivants. Intimidés.

— Je suis heureux. Que tu sois là.

Parler.

Je déballai plus de banalités qu'il ne pouvait en exister. La chaleur. Une douche à prendre. T'es là depuis longtemps ? Tu as faim ? Soif ? Tu veux mettre de la musique ? Un whisky ?

Elle sourit à nouveau. Fin des banalités. Elle s'assit sur le canapé, devant les plants de menthe et basilic.

— Je pouvais pas les laisser là-bas. Un sourire, encore. Il n'y avait que toi, pour faire ça.

— Il fallait que quelqu'un le fasse. Tu ne crois pas ?

— Je crois que je serais revenue quand même.

Quoi que tu aies fait, ou pas fait.

— Les arroser, c'était faire vivre l'esprit du lieu. C'est toi qui nous as appris ça. Là où vit l'esprit, l'autre n'est pas loin. J'avais besoin que tu existes. Pour aller de l'avant. Ouvrir les portes autour de moi. Je vivais dans le renfermé. Par paresse. On se satisfait toujours de moins. Un jour, on se satisfait de tout. Et on croit que c'est le bonheur.

Elle se leva et vint vers moi. De sa démarche aérienne. Mes bras étaient ouverts. Je n'avais plus qu'à la serrer contre moi. Elle m'embrassa. Ses lèvres avaient le velouté des roses expédiées le matin à Babette, d'un rouge sombre à peu près égal. Sa langue vint chercher la mienne. Nous ne nous étions jamais embrassés ainsi.

Le monde se remettait en ordre. Nos vies. Tout ce que nous avions perdu, raté, oublié trouvait enfin un sens. D'un seul baiser.

Ce baiser.

Nous avons mangé le farci, réchauffé, et sur lequel j'avais mis un filet d'huile d'olive. J'ouvris une bouteille de Terrane, un rouge de Toscane, que je gardais pour une bonne occasion. Souvenir d'un voyage à Volterra avec Rosa. Je racontai à Lole tous les événements. Dans leurs détails. Comme on disperse les cendres d'un défunt. Et que le vent emportera.

— Je savais. Pour Simone. Mais je ne croyais pas à Manu et Simone. Je ne croyais pas plus à Manu et Lole. Je ne croyais plus à rien. Quand Ugo est arrivé, j'ai su que tout s'achevait. Il n'est pas revenu pour Manu. Il est revenu pour lui. Parce qu'il n'en pouvait plus de courir après son âme. Il avait besoin d'une vraie raison de mourir.

« Tu sais, j'aurais tué Manu, s'il était resté avec

Simone. Pas pas amour. Ni par jalousie. Pour le principe. Manu n'avait plus de principes. Le Bien, c'est ce qu'il pouvait avoir. Le Mal, ce qu'il ne pouvait avoir. On ne peut pas vivre ainsi.

Je préparai des pulls, des couvertures et la bouteille de Lagavulin. Je pris Lole par la main et la conduisis au bateau. Je passai la digue à la rame, puis je mis le moteur et fis cap sur les îles du Frioul. Lole s'assit entre mes jambes, sa tête sur ma poitrine. On s'échangea la bouteille, se passa les cigarettes. Sans parler. Marseille se rapprochait. Je laissai à bâbord Pomègues et Ratonneaux, le Château d'If, et tirai droit devant, vers la passe.

Passée la digue Sainte-Marie, sous le Pharo, je stoppai le moteur et laissai flotter le bateau. Nous nous étions enveloppés dans les couvertures. Ma main reposait sur le ventre de Lole. À même sa peau, douce et brûlante.

Marseille se découvrait ainsi. Par la mer. Comme dut l'apercevoir le Phocéen, un matin, il y a bien des siècles. Avec le même émerveillement. Port of Massilia. Je lui connais des amants heureux, aurait pu écrire un Homère marseillais, évoquant Gyptis et Protis. Le voyageur et la princesse. Le soleil apparut, par-derrière les collines. Lole murmura :

Ô convoi des Gitans
À l'éclat de nos cheveux, orientez-vous…

Un des poèmes préférés de Leila.

Tous étaient conviés. Nos amis, nos amours. Lole posa sa main sur la mienne. La ville pouvait s'embraser. Blanche d'abord, puis ocre et rose.

Une ville selon nos cœurs.

FIN

DU MÊME AUTEUR

Aux Éditions Gallimard

Dans la collection Série Noire

CHOURMO, n° 2422

SOLEA, n° 2500

Aux Éditions Flammarion

LES MARINS PERDUS (collection Gulliver), 1997

Aux Éditions du Ricochet

LOIN DE TOUS RIVAGES (collection Images du Sud), 1997

Aux Éditions Librio

VIVRE FATIGUE, 1998

Cet ouvrage a été composé
par Infoprint.
Reproduit et achevé d'imprimer sur Roto-Page
par l'Imprimerie Floch à Mayenne
le 11 mai 2000.
Dépôt légal : mai 2000.
1er dépôt légal dans la même collection : janvier 1995.
Numéro d'imprimeur : 48759.

ISBN 2-07-049502-7 / Imprimé en France.

96855